исцели **себя**

Александр СВИЯШ

ХОЧЕШЬ БЫТЬ ЗДОРОВЫМ? БУДЬ ИМ!

ПИТЕР®

Санкт-Петербург

Москва · Харьков · Минск

2002

Александр Свияш

Хочешь быть здоровым? Будь им!

Серия «Исцели себя сам»

Главный редактор	Е. Строганова
Зам. главного редактора (Москва)	Е. Журавлева
Заведующий редакцией (Москва)	Н. Бурцева
Зам. главного технолога (Москва)	Ю. Климов
Редактор	И. Евполова
Художник	С. Маликова
Корректоры	С. Игнатова, Л. Васильева
Верстка	М. Аввакумов

Данная книга не является учебником по медицине. Все рекомендации должны быть согласованы с лечащим врачом.

ББК 53.59 УДК 615.89

Свияш А. Г.

С24 Хочешь быть здоровым? Будь им! — СПб.: Питер, 2002. — 288 с. — (Серия «Исцели себя сам»).

ISBN 5-94723-156-5

Что в вашей жизни главное? Работа? Деньги? Любовь? Наверняка, трудно ответить сразу. Но, согласитесь, если вы не здоровы, если вас мучают болезни или страх перед ними, вам не до работы, денег и прочего. Вы думаете только о том, как вернуть утраченное здоровье. Новая книга Александра Свияша называется «Хочешь быть здоровым? Будь им!» Этот призыв — не пустые слова. Вы убедитесь в этом сами, ознакомившись с уникальными методиками автора, который докажет вам, что ваше здоровье только в ваших руках.

ISBN 5-94723-156-5

Лицензия ИД № 05784 от 07.09.2001.
Подписано к печати 30.08.2002. Формат 84×108¹/₃₂. Усл. п. л. 15,12. Доп. тираж 20 000 экз. Заказ № 97.
ООО «Питер Принт». 196105, Санкт-Петербург, ул. Благодатная, д. 67.
Отпечатано с готовых диапозитивов в ГИПК «Лениздат» (типография им. Володарского)
Министерства РФ по делам печати, телерадиовещания и средств массовых коммуникаций.
191023, Санкт-Петербург, наб. р. Фонтанки, 59.

Оглавление

Введение

Здравствуйте, уважаемый читатель! Сегодня вы держите в руках книгу, которая позволит вам по-новому взглянуть на свое здоровье.

Ранее у меня вышла книга, которая называлась «Что вам мешает быть богатым». В ней были рассмотрены типовые ошибки, мешающие большинству людей достичь того уровня материальной обеспеченности, к которому они стремятся.

Эта книга в какой-то мере аналог предыдущего исследования, но уже в новой области — в сфере оздоровления. Ее можно было бы назвать «Что нам мешает быть здоровыми?». Ответ вы уже угадали — ничто, кроме нас самих.

Когда человек вспоминает о своем здоровье? Правильно! Когда оно о себе напоминает! И хорошего в этом, согласитесь, мало. Если вам не нравятся ваши тапочки, их можно выкинуть и купить новые. А вот что делать с желудком, суставами или печенью — совершенно непонятно!

Тело есть у всех без исключения. Если вы родились и живете, вы живете в теле. И эта необходимость — иметь тело — для многих людей со временем становится обузой, с которой трудно что-либо сделать. Мы как раз и попробуем посмотреть, что же можно сделать, чтобы наше тело только радовало нас. А мы — его.

О чем эта книга. Эта книга — не очередной сборник рецептов или описание еще одного чудодейственного способа излечения от всего. Подобных книг сегодня выпускается множество, даже есть книги, которые лечат! Эта книга не лечит, поэтому не нужно садиться на нее или прикладывать ее к больному месту. Не поможет.

Она поможет только в том случае, если вы внимательно прочитаете ее и попробуете понять, каким образом *вы сами создали себе то здоровье, которое имеете сегодня.* Зачем вам нужно болеть, о чем кричит вам ваше тело через заболевание, и многое другое. Это непросто, но возможно.

Книга основана на идеях Разумного пути. А базовое положение методики Разумного пути, если помните, звучит так: *все, что мы имеем в своей жизни, мы создали себе сами.* И если нас что-то не устраивает, то нужно понять, каким образом мы создали свою нынешнюю ситуацию, будь то здоровье, личная жизнь или работа. А потом изменить ее так, как нам хочется.

Что будет. Здесь мы попробуем подойти без предвзятости к тому множеству способов возвращения здоровья, которое наработало на сегодня человечество. И попробуем *классифицировать* их, чтобы каждый человек мог осознать, что больше всего подходит именно ему. Какой способ, средство или прибор устроит его лучше всего.

Люди очень разные, они отличаются друг от друга исходным здоровьем, уровнем развития и образования, складом ума, эмоциональностью или рассудительностью, уровнем доходов и вытекающими из них возможностями, местом и условиями проживания, питанием, образом жизни и т. д. и т. п. Именно из-за этого разнообразия людей не удается создать какой-то универсальный способ оздоровления или излечения. В общем, здесь вы найдете некоторый *обзор существующих подходов к оздоровлению или излечению.* Естественно, что в него будут включены только те методики, которые известны автору этой книги.

Заранее извиняемся. Жизнь показывает, что каждый разработчик (лекарства, прибора, способа) очень ревностно относится к своему детищу и обычно несколько преувеличивает его возможности. И с большой обидой относится к тем, кто воспринимает его детище не столь восторженно, как он сам. Поэтому неминуемы претензии к автору со стороны тех разработчиков оздоровительных систем или приборов, о которых будет написано. Не всех, но многих. Можно даже заранее сказать, какими словами будет высказано осуждение: «не разобрался», «не оценил», «ума не хватило понять» и так далее. Поэтому автор кается заранее: «Да, я не разобрался, не оценил, у меня не хватило ума и так далее. Простите меня за это, пожалуйста. И не тратьте свои драгоценные нервные клетки на переживания по этому поводу, а направьте их лучше на такое объяснение своей технологии, чтобы их понял даже такой примитивный субъект, как автор данного труда».

В общем, в грехах каемся заранее. Хотя прекрасно понимаем, что это вряд ли поможет.

Эту книгу можно рассматривать как обобщение личного опыта автора по использованию различных систем оздоровления, пропущенного через идеи Разумного пути [1–10]. То есть это *приложение идей Разумного пути к конкретной сфере нашей жизни — здоровью*.

Высшие силы и прочее. Как и в прошлых наших работах, мы будем исходить не из атеистических позиций. Мы все допускаем, что существует непознанный пока Тонкий мир, с которым можно осознанно взаимодействовать. Тонкий мир изрядно заселен, и его обитатели так или иначе постоянно взаимодействуют с людьми. Механизмы этих взаимодействий, касающиеся темы здоровья, будут рассматриваться в книге. Но наш подход и не религиозный, поэтому все рассуждения не будут сводиться к единому: «Молись, и Бог простит». Мы будем искать пути более рационального избавления от болезней.

В своих рассуждениях мы будем исходить из того, что человек — это сложная субстанция, состоящая из множества тел, одного материального и нескольких тонких. Подробная модель «устройства» тонких тел человека уже рассматривалась в предыдущих книгах [1, 4, 6], поэтому здесь она не будет повторяться. Но использоваться в рассуждениях будет.

Зачем нужна эта книга. А действительно, зачем нужна еще одна книга по здоровью, когда их написано уже многие тысячи? Только ли желание получить гонорар, или желание осчастливить человечество очередным чудесным рецептом двигало автором в этой работе? В небольшой мере и это, но в основном — желание разобраться и как-то систематизировать то множество методов и систем лечения и оздоровления, которое наработало человечество. Естественно, все охватить невозможно. Но *можно выработать общие принципы*, которые затем позволят вам самостоятельно оценить полезность для вас очередной предлагаемой технологии оздоровления.

Таким образом, мы хотим разработать *инструмент для самодиагностики причин имеющихся у вас заболеваний и самостоятельного нахождения путей для возврата здоровья*. То есть основную роль мы отводим *человеку разумному*, способному оценить ситуацию и обладающему волей и желанием для возврата утерянного здоровья. Понятно, что таких людей немного. Люди в основной массе ленивы, и мало кому хочется напрягаться самому. Значительно проще сходить к врачу или целителю, пусть они исправляют то, что вы сотворили. Иногда это помогает, иногда — нет. Все мы имеем право на любой выбор, в том числе — право губить свое здоровье любыми доступными нам способами. Но даже если вы сделаете такой выбор, то эта книга поможет вам понять, где и как вы наносите наибольший урон своему организму. И сделать из этого соответствующие выводы.

Мы не отвергаем медицину. В этой книге мы ни в коем случае не ругаем и не отвергаем то, что делает официальная медицина. Она, как может, делает свое доброе дело, и нужно сказать врачам за это огромное спасибо. В некоторых случаях без официальной медицины просто невозможно обойтись, например при зубной боли, сильных травмах или инфекционных заболеваниях.

Просто мы хотим сделать так, чтобы у врачей было меньше работы. Чтобы люди могли сами разбираться в явных и скрытых причинах своих заболеваний и устранять их. И тогда они будут меньше болеть, а врачи сумеют уделить больше внимания тем, кто к ним все же попадет.

Откуда все это известно. При прочтении книги поневоле может возникнуть вопрос: а откуда автор знает про все эти приборы, снадобья или методики? Ответ здесь прост. Один источник — это *личный опыт*. Нужно отметить, что автор является энтузиастом всяких новшеств и опробовал на себе множество разных снадобий, пищевых добавок, приборов и способов оздоровления. И ничего — жив, здоров и еще книжки пишет. Как говорится в известном афоризме: «Если пациент хочет жить, то медицина здесь бессильна». В итоге возникло желание поделиться своим опытом оздоровления и даже рассказать о тех новых идеях, которые появились в ходе подготовки этой книги.

А второй — это редактирование нашего журнала «Разумный мир». В нем есть специальная рубрика «Чем поможет наука», в которой мы подробно рассказываем о новых разработках в области психологии и оздоровления. Понятно, что там все описано более подробно, с графиками, рисунками и таблицами.

Многие прошлые выпуски журнала вы можете посмотреть в электронном виде на сайте **www.sviyash.ru**. А чтобы быть в курсе новых публикаций и иметь возможность сразу применить новшество для себя, нужно подписаться на наш журнал. Более подробная информация о нем приведена в рекламе на последних страницах этой книги.

Будем использовать местоимение «мы». В этой книге, как и во всех предыдущих, автор будет называть себя местоимением «мы». И это вовсе не означает, что он считает себя великим и важным («Мы, Николай II...»). Под словом «мы» понимается сам автор, его друзья-покровители в Тонком мире и вполне материальные знакомые — участники клуба «Разумный путь». Идеи книги обсуждались на встречах членов клуба, и автор выражает им огромную благодарность за помощь и поддержку. И лишь иногда будет использоваться местоимение «я» — когда нужно мне будет поделиться личным опытом или высказать свое отношение к чему-то.

Всего мы не знаем. Эта работа — всего лишь первая попытка систематизировать то, что наработали люди по вопросам оздоровления. Естественно, многое мы еще не понимаем, и в этих случаях мы так и будем писать об этом. Или излагать материал так, как он нам представляется, невзирая на расхождение с версиями авторов или официальной медицины.

В общем, мне нравится то, что получилось в конце концов. Я надеюсь, что книга не разочарует тех читателей, кому близки идеи Разумного пути! Будьте здоровы всегда, когда пожелаете!

Глава 1
Откуда берутся болезни

> С развитием... общества должно расти сознание людей, ориентация их на свое здоровье как на высшую драгоценность и благо не только для человека, но и для всего нашего общества, в связи с чем число больных, казалось бы, должно уменьшаться. А пока получается как раз наоборот.
>
> *Порфирий Иванов*

Те, кто читал предыдущие книги [1—10], знают, что в нашей жизни ничего не происходит просто так, всему есть причина. И если вы находитесь в Разумном мире, то, если что-то в этой жизни вас не устраивает, вы не броситесь переделывать этот самый мир в соответствии со своими идеями.

То есть если ваш муж зарабатывает слишком мало денег, начальник на работе хамит или ребенок плохо учится, то вы не скатитесь к банальным переживаниям и скандалам по этому поводу. А начнете рассуждать: чем я сам поспособствовал созданию этой ситуации, чему учит меня Жизнь через этих людей, какие уроки она мне дает и что мне нужно *изменить в себе*, чтобы ситуация изменилась к лучшему.

Так или примерно так должны рассуждать люди, усвоившие идеи Разумного пути. Они принимают окружающий мир таким, каков он есть, и не впадают в переживания, если что-то происходит не в соответствии с их ожиданиями. И даже если им приходится прилагать какие-то усилия для достижения своих целей, то это делается опять же только с положительными эмоциями, без страхов и других негативных переживаний.

Боремся... за здоровье. А теперь давайте посмотрим, нельзя ли применить этот же подход по отношению к собственному здоровью. То есть попробовать принять его таким, какое оно есть в реальности. Оказывается, это очень непросто — настолько широко распространена в нашем обществе идея необходимости неустанной *борьбы за свое здоровье*. Практически никто не умеет принимать свое тело таким, какое оно есть — в нездоровом состоянии. Каждый человек, испытывающий легкое недомогание или серьезно больной, активно борется за свое здоровье. С кем же он борется? Ответ тут очевиден. Враг, противник в данном случае один — это свое собственное тело.

Если это утверждение вызывает возражения, давайте посмотрим на этот же вопрос с несколько иной стороны.

Посмотрите, что мы имеем. Есть ВЫ — это ваш ум, воля, опыт, сознание, эмоции (все вместе — наша душа), но это все бесплотно. И есть плоть — то физическое тело, в котором размещаетесь ВЫ. Тело должно помогать ВАМ жить комфортно, удовлетворять все ваши потребности в передвижении, в получении удовольствия от еды, питья, секса и т. д. Оно, как верный и безотказный слуга, должно исполнять все потребности души и *не должно иметь своих желаний*, запросов, требований. В общем, оно не должно мешать нам жить так, как мы хотим.

Но иногда тело отказывается выполнять эти свои нелегкие функции, оно заболевает. А мы знаем, как оно должно себя вести! Нам неинтересно, что хочет сказать нам тело своим заболеванием, какой урок оно нам дает. Оно должно быть здоровым, и мы сделаем его таким! Это может потребовать усилий, но мы всегда готовы к борьбе! Вперед, в атаку за здоровье!

В итоге жизнь многих людей наполнена *непрерывными боевыми действиями*. Болезнь — это враг, и он должен быть уничтожен! В нашем мире построена целая индустрия по обеспечению этих боевых действий. Больницы — это поля сражений, аптеки — склады боеприпасов.

Вы приболели — приезжает врач и выдает вам боеприпасы или дает рецепт для приобретения их на складе (в аптеке). Огромные институты непрерывно исследуют врага и придумывают новые способы и средства для борьбы с ним. С экранов телевизоров нас непрерывно пугают: «Ваши боеприпасы устарели! Враг изменился, в прошлом году это был вирус "А", а в этом году — это вирус "Б"! Прежние патроны не годятся, срочно покупайте новые!» И мы идем и послушно покупаем все, что нам велели, создавая дома небольшой оружейный арсенал и обеспечивая работой множество участников этой бесшумной битвы.

Понятно, что ни о каком смирении в ходе этой битвы говорить не приходится. Страхи, тревоги, опасения и другие нерадостные эмоции — верные спутники этой незримой битвы. Можно ли что-то сделать в этой ситуации, можно ли отказаться от борьбы с самим собой и со своим телом? Конечно, можно. Но это, к сожалению, непросто, поскольку нужно взглянуть по-другому на свое здоровье. А что такое наше здоровье?

Всемирная организация здравоохранения определила здоровье как *полное физическое, психическое и социальное благополучие*. Определение хорошее и вполне конструктивное, но слишком материалистическое. А наша методика предполагает, что человек состоит не только из физического тела. Поэтому мы попробуем подойти к этому вопросу несколько иначе.

Истоки нашего нездоровья

> Если вы проснулись и у вас ничего не
> болит — проверьте, на каком вы свете...
>
> *Старая поговорка*

Почти все люди имеют те или иные заболевания, то есть отклонения от такого состояния физического тела, которое называется здоровым. Один болеет с детства, другой получил заболевание в более зрелом возрасте. Каковы бы ни были причины заболеваний, все мы стремимся (или хотя бы хотим) от них избавиться. И здесь мы сталкиваемся с очень интересной ситуацией.

Одно и то же заболевание берутся излечить многие специалисты совершенно разными способами. Если у вас болит голова (или нога, или печень и т. д.), то одни назначат попить лекарства или травы, другие предложат изгнать из вас порчу, третьи попробуют излечить энергетическими потоками, четвертые посоветуют покаяться в грехах, пятые настойчиво предложат полечиться с помощью чудодейственного прибора, шестые будут уговаривать попить пищевых добавок и т. д. *И что удивительно, все это помогает!* Конечно, не всегда и не всем, но большому количеству людей помогает!

Поэтому с одним и тем же заболеванием люди ходят от одного врача к другому в попытке найти тот способ или то средство, которое *поможет именно им.* И если такие поиски продолжаются *достаточно долгое время и без особых переживаний*, то результат будет положительным! Рано или поздно вы обязательно найдете то, что поможет именно вам, — это вытекает из основных положений Методики формирования событий. Но поиск может затянуться на годы, а хотелось бы получить результат побыстрее.

Почему же возникает такая ситуация? Как нам представляется, потому, что *заболевание физическо-*

го тела является лишь проявлением каких-то нарушений в одном из тел человека. А этих тел, как вы помните, несколько [1, 4, 6]. Напомним, что мы используем древнюю восточную модель устройства человека, которая предполагает, что *наряду с физическим человек обладает еще шестью тонкими телами* (эфирным, эмоциональным, ментальным и др.).

Если вы материалист и эта модель вызывает у вас большие сомнения, то вы смело можете рассуждать о *физическом теле и различных компонентах человеческой психики.* Психика — вещь далеко не изученная, поэтому можно выделить у нее *несколько составляющих — энергетическую* (уверенность в себе, активность, энергичность), *эмоциональную* (склонность испытывать эмоции по любому поводу), *ментальную* (наш ум, наши убеждения, идеалы и пр.) и *подсознание*, в глубине которого таятся разные фобии и другие необъяснимые факты нашей жизни. Эта модель тоже очень хорошо сочетается со всеми последующими рассуждениями.

Таким образом, мы исходим из того, что тел у человека много. И только одно из них, физическое, является материальным, и *только в нем могут проявиться последствия нарушений в одном из тонких тел.* Соответственно, если врач или целитель сумеет убрать это нарушение в тонком теле, то болезнь уйдет и из физического тела. Если же врач будет работать только с физическим телом, а источник заболевания лежит в тонком теле (в одном из компонентов психики), то результат его усилий будет в лучшем случае кратковременным.

Что такое здоровье. Отсюда же вытекает вывод о том, какого человека можно назвать здоровым. *Здоровым является такой человек, у которого здоровы физическое и все тонкие тела.* Поскольку, если нездорово хотя бы одно из тонких тел (имеются нарушения, искажения или негативная информация), это неминуемо скажется на состоянии нашего физического тела. Исходя из этого определения здоровья, мы и будем далее строить наши рассуждения.

Первоисточник заболеваний. Теперь стоит задуматься над тем, почему возникают нарушения в наших телах, все равно, в любом из тонких или в физическом? Мы уже знаем, что в нашем мире просто так ничего не происходит. И если возникает искажение, то оно означает, что *мы что-то не так делаем.* И наш организм через заболевание тела указывает нам на это.

Возможно, что *мы неправильно относимся к своему организму,* и он напоминает нам об этом через заболевание. Большинство людей рождаются здоровыми (за исключением случаев врожденных заболеваний), но затем заболевают, поскольку потребительски (и наплевательски) относятся к тому дару, который бесплатно дает нам Жизнь (своему здоровью). Либо *люди переполняются различными идеями, которые погружают их в мир переживаний,* в результате чего опять же появляются заболевания.

То есть *наше сознание, наше отношение к жизни и к своему здоровью определяют состояние нашего здоровья.* Наши мысли, эмоции и вытекающие из них поступки определяют состояние здоровья. Поэтому смело можно утверждать, что первоисточником нашего здоровья (или нездоровья) является наше сознание. Наш дух определяет наше бытие.

Раньше такой вывод мы делали в отношении событий, которые происходят в жизни любого человека. Здесь мы расширяем это толкование и на состояние нашего здоровья.

Собственно, и врожденные заболевания подпадают под это же толкование. Врожденное заболевание является проявлением большой «зрелой» кармы, то есть тех поступков, которые совершила душа человека в прошлых жизнях. А поступки она совершала опять-таки под действием каких-то существующих в тот момент времени в сознании человека идей.

В общем, как ни крути, наши мысли и вытекающие из них эмоции и действия определяют состояние здоровья. Поэтому мы будем достаточно подробно рассматривать, какие же наши ошибочные убеждения или установки могут привести к нездоровью. И поиск способов возврата здоровья нашего физического тела будем строить на основе этих идей.

Как будем лечиться. Из всего сказанного следует простой вывод: *способ лечения должен быть адекватен той причине, которая привела к заболеванию физического тела.* То есть лечение будет эффективным, если оно изначально будет проводиться по отношению к тому тонкому телу, нарушения которого привели к изменениям в остальных тонких телах и в физическом теле человека. В противном случае эффекта от лечения не будет или он будет кратковременным.

Это не значит, что причины всех заболеваний лежат в самих тонких телах и лечение любого насморка нужно начинать с чистки кармического тела. Для начала неплохо бы *понять, где, в каком тонком или в самом физическом теле лежит источник нарушения вашего здоровья.* Но это, к сожалению, очень непросто.

Что же делать, *как определить, где именно лежит корень возникшего заболевания?* Чтобы узнать это, наверное, нужно рассмотреть, какие причины могут привести к заболеванию того или иного тела человека. Мы будем исходить из использованной нами ранее модели, согласно которой человек состоит из физического и шести тонких тел.

В силу того что нам малоизвестны способы работы с тремя высшими тонкими телами человека, составляющими его бессмертную душу, мы объединим их в одно тело, которое назовем «кармическим». То есть мы будем рассматривать только пять тел человека — физическое, эфирное, эмоциональное, ментальное и кармическое. Возможно, кто-то из профессиональных целителей, работающих в контакте с Высшими силами, будет возражать против такого упрощения. Но нас интересуют методы оздоровления, *доступные для массового (и желательно, самостоятельного) применения*, поэтому будем рассматривать преимущественно то, что может использовать неспециалист.

Рассмотрим более подробно, какие причины могут привести к возникновению проблем в различных телах человека и как это может проявляться. Конечно, трудно сразу охватить все многообразие причин, способных привести к заболеваниям нашего физического тела. Людей много, и каждый из них болен по-своему, и, что самое сложное, — *одни и те же заболевания у разных людей могут быть инициированы различными факторами*.

Смотрим физическое тело. Корень заболевания нашего физического тела может лежать в *самом физическом теле*, если с ним неправильно обходиться. Наше тело — это своеобразная «лошадь», которая возит и ублажает нашу душу. Но с этой «лошадкой» мы часто обходимся более чем небрежно — неправильно кормим ее, не выводим на прогулки, нагружаем сверх меры, и в результате она не выдерживает и заболевает. К этой теме мы еще не раз будем возвращаться, а сейчас лишь зафиксируем, что множество заболеваний возникает «от глупости», то есть из-за неправильного обращения с нашим физическим телом. Наше сознание не ценит тело, которое через болезнь начинает протестовать против такого потребительского отношения к себе.

Нарушения эфирного тела. Другой причиной нездоровья нашего физического тела могут стать какие-то *нарушения в нашем эфирном, или энергетическом теле.* Они могут быть вызваны чрезмерным истощением эфирного тела из-за перегрузок и недосыпания, из-за добровольной отдачи ваших жизненных сил другим людям через избыточное сочувствие и сопереживание. Вы можете истощиться из-за несанкционированного отъема ваших жизненных сил другими людьми (вампиризм) или сущностями астральных планов. На вашу энергетическую оболочку может быть наложена негативная информация, которая приведет к ее искажению и заболеванию.

Еще вариант — нарушение энергетической оболочки из-за длительного нахождения в зоне сильных энергетических искажений, которые возникают над подземными разломами земной коры,7 и т. д. Как видите, способов негативного воздействия на наше эфирное тело множество, и все они приводят к одному результату — заболеванию физического тела.

Перегрузки негативными эмоциями. Но и эфирное тело может быть лишь промежуточным звеном, через которое передается *негативное воздействие от более тонкого астрального тела,* или *тела наших эмоций.* А эмоции у большинства людей, к сожалению, преобладают далеко не радостные.

Мы уже рассказывали, что каждое наше негативное переживание откладывается в виде грязного сгустка (мыслеформы) в теле эмоций. В море большой айсберг вполне может исказить или даже застопорить течение воды в проливе. Точно так же большая мыслеформа может вызвать отклонения или остановки в течении потоков энергии в эфирном теле, что неминуемо приведет к заболеваниям физического тела. И сколько бы мы ни лечили физическое или эфирное тело в такой ситуации, улучшение может быть только кратковременным.

Негативная мыслеформа может возникнуть в результате сильных эмоциональных переживаний, вызванных посягательством на наши чисто *инстинктивные, неосознаваемые ценности*, такие, как любовь (к другому человеку, ребенку, родственнику), родовые или национальные приоритеты.

Ошибочные идеи. Другой вариант возникновения негативных переживаний состоит в том, что у вас есть набор каких-то вполне *осознаваемых ожиданий и приоритетов*, а реальный мир не соответствует этим ожиданиям. Это уже проблемы нашего *ментального тонкого тела*. Оно может накопить некоторый набор идеализаций, получить негативные программы от других людей или выработать их самостоятельно, но результат будет один — вы погрузитесь в мир переживаний и создадите в своем эмоциональном теле ненужную вам мыслеформу. Негативная мыслеформа внесет дисбаланс в ваше эфирное тело, и в итоге все это проявится как заболевание физического тела.

Например, если у человека есть несколько идеализаций и их сложно разрушить во внешнем мире, то в качестве «воспитательного» процесса может быть применено и заболевание. Например, для унижения гордыни человек может получить такое заболевание, о котором будет стыдно рассказать не только знакомым, но и врачам. Для разрушения идеализации способностей могут возникнуть проблемы с памятью, зрением, слухом и т. д. Таким образом, часть заболеваний может быть вызвана нашей «наработанной» кармой, то есть накопленным в течение этой жизни негативом.

Кроме того, можно нечаянно «заказать» себе болезнь, вовсе даже не подозревая об этом. И заказ будет идти от вашего подсознания (то есть от ментала), а исполнителем выступит физическое тело. Этим приемом часто пользуются дети, которым не хватает родительского внимания. Они хотят привлечь к себе внимание родителей, и самый простой способ добиться этого — заболеть. Нужно сказать, что и взрослые вовсе не пренебрегают этим приемом, но никогда не признаются в этом даже себе.

Проблемы из прошлых жизней. И наконец, наши высшие тела, которые мы объединили в одно *кармическое тело*, тоже могут поучаствовать в процессе инициации наших заболеваний. Здесь источником заболеваний может явиться так называемая *зрелая карма*, то есть те проблемы, которые наша бессмертная душа принесла с собой из прошлых воплощений.

Наша душа может принести из прошлых жизней информацию о случившихся там негативных событиях, сопровождавшихся сильными и продолжительными отрицательными эмоциями. И эта информация в нынешней жизни может проявиться в виде различных фобий, то есть страхов (воды, высоты, темноты, одиночества и т. п.), не имеющих явных причин их возникновения. С этими проявлениями зрелой кармы можно и нужно работать, поскольку они тоже отравляют нашу жизнь.

При большой «зрелой» карме человек рождается в тяжелых условиях, часто с врожденными заболеваниями. Многим более благополучные души иногда приносят с собой *кармические проблемы*, которые иногда принимают вид хронического и неизлечимого заболевания. С этим тоже можно работать, и мы будем рассматривать эту тему более подробно.

Как видите, физическое тело одно, а причин возникновения проблем со здоровьем имеется множество. Отсюда вытекает понимание того, почему никак не удается найти универсальный способ или средство, которое излечивало бы от любых заболеваний. Причин заболеваний очень много, и средств борьбы с ними существует также множество. Как же быть, как выбрать из этого множества то, что поможет именно вам и как можно эффективнее? Ведь всегда хочется достичь своей цели как можно быстрее, минуя лишние или промежуточные усилия. К сожалению, это очень непросто.

Поэтому, чтобы научиться побыстрее находить возможный источник заболевания нашего физического тела, мы подробно рассмотрим те ошибки, которые могут привести к искажениям во всех наших телах. Вы сможете примерить к себе эту информацию и выяснить, *какая же совокупность ваших ошибок создала ту проблему со здоровьем*, которую вы имеете сегодня.

А пока подведем первые итоги.

Итоги

1. Заболевание физического тела является лишь проявлением каких-то нарушений в одном из тел человека, поэтому желательно сначала найти источник, причину заболевания, а потом браться за лечение.

2. Здоровым является такой человек, у которого здоровы физическое и все тонкие тела.

3. Наше сознание, наше отношение к жизни и к своему здоровью определяют состояние нашего здоровья.

4. Способ лечения должен быть адекватен той причине, которая привела к заболеванию физического тела. Поэтому нужно рассмотреть все возможные ошибки, которые могут привести к искажениям в различных телах человека.

Болезни... от глупости

> Всегда полезно подумать перед тем,
> как сделать глупость.
>
> *Г. Малкин*

Для начала мы рассмотрим те заболевания, которые имеют источником... нашу глупость. В общем-то нужно честно признать, что большинство наших заболеваний имеют под собой именно эти фундаментальные корни, но наиболее ярко это проявляется в отношении к нашему физическому телу. Ведь именно ему традиционно уделяется меньше всего внимания и именно от него ожидается, что оно должно вечно находиться в отличном состоянии. А если оно через боль начинает кричать нам, что мы делаем что-то неправильно, мы мужественно стискиваем зубы и терпим, пока это возможно. Или шарахаем по нашей нервной системе кувалдой в виде обезболивающих таблеток. Ведь что такое обезболивающие средства? Это препараты, которые парализуют способность нервной системы донести до нас сведения о том, что с организмом что-то не в порядке. В общем, лучший способ лечения — дубинкой по голове. Помогает, конечно, ненадолго, но ведь дубинка всегда под рукой, можно повторять, пока организм совсем не отупеет и не перестанет жаловаться. Наверное, в том числе и поэтому мы живем не отведенные Природой 150 лет, а всего 50—80.

Конечно, не всегда мы прибегаем к таблеткам, используются и другие способы избавления от боли, и мы еще будем их рассматривать. Но, может быть, лучше не доводить дело до лечения, а просто не создавать такие ситуации, когда наше тело через боль станет просить о помощи?

Каким же образом мы доводим свое тело до того, что оно начинает просить пощады? Как вы уже понимаете, таких способов множество. Рассмотрим некоторые из них.

Неправильное питание. Как известно, почти все ткани нашего тела периодически обновляются, то есть существующие клетки тела отмирают и на их месте возникают новые. Обновляются все клетки наших костей, мышц, крови, всех внутренних органов, кожи и т. д. Срок полной замены всех клеток разных органов колеблется от двух недель до нескольких месяцев или лет. Спим мы или бодрствуем, едим или голодаем, все равно наш неутомимый организм трудится над восстановлением наших органов. Этот процесс не зависит от нашей воли, уровня развития, интересов и т. д., он полностью автоматизирован. Но мы все же постоянно в него вмешиваемся, причем обычно не самым лучшим образом. Как это происходит?

Нашему организму для выполнения этой функции *нужен строительный материал*, то есть почти все химические элементы в такой форме, в которой он может их усвоить и использовать. А откуда он может их взять? Понятно, что из пищи и напитков. Значит, наше питание должно содержать в себе как можно более широкий спектр химических элементов, из которых организм сам выберет то, что ему нужно. А если из напитков вы потчуете организм только кофе или пивом, а из еды только пирожными (к кофе) или воблой (к пиву), то ему трудно будет выполнить свои функции. Ему негде будет взять материалы для строительства нашего тела. Есть ряд заболеваний, напрямую вызванных однообразным питанием, когда организму не хватает каких-то элементов для нормального функционирования. Самое известное из них — это цинга. Но она, слава богу, становится пережитком прошлого. Однако это далеко не единственное заболевание, вызванное недостатком тех или иных микроэлементов. Существует множество исследований на тему существования связи между заболеваниями и нехваткой каких-либо химических элементов в нашем организме.

Медицина не дремлет. Сегодня появилось даже целое направление в медицине — микроэлементозы, которое занимается изучением *зависимости состояния здоровья человека от содержания в его крови* (и соответственно, в клетках организма) *тех или иных микроэлементов* [11].

Диагностика отклонений от нормы производится в результате анализа состава крови, а также *по наличию микроэлементов в волосах или ногтях* человека. Волосы и ногти обновляются довольно медленно, поэтому их состав отражает состав крови человека в течение длительного времени. Если каких-то химических элементов в крови человека не хватает, то и в ногтях и волосах этих же элементов будет меньше нормы. Соответственно врачи сравнивают химический состав волос (или ногтей) с нормой, и если выявляется дефицит каких-либо микроэлементов, то назначают лекарства, содержащие эти вещества, таким путем восполняя недостаток необходимых «строительных материалов» для клеток и тканей.

Но это уже метод лечения заболевшего организма, а лучше его не доводить до такого состояния. Именно поэтому все *медики и диетологи рекомендуют разнообразить пищу, использовать как можно больше овощей и фруктов*, которые содержат (или должны содержать) множество микроэлементов [12]. Но часто ли мы руководствуемся этими рекомендациями, особенно когда количество денег ограничено и нужно сделать выбор между водкой (или тортом) и овощами. Как вы думаете, какой выбор в подобной ситуации сделал бы разумный человек? И какой выбор делают большинство людей?

Но даже если люди покупают овощи и разнообразят свою пищу, все равно могут возникать проблемы. Многие овощи сегодня выращиваются в теплицах, в искусственных условиях. А откуда в парниковом грунте возьмутся нужные нам микроэлементы? Первый же урожай вытянет все полезные вещества из грунта, а потом тянуть из него будет нечего. Соответственно и выращенные парниковые плоды, невзирая на их красивый вид, пользу давать нашему организму будут минимальную.

Поэтому к первой и довольно распространенной причине заболевания физического тела можно отнести *наше неправильное питание*, которое лишает организм химических элементов, необходимых для его нормального самовосстановления.

Самоотравление. Следующая характерная причина заболеваний — это вмешательство человека в нормальную работу своего организма путем *избыточного введения одних каких-то элементов и,* соответственно, *создания дефицита других.* За этой сложной фразой стоит наше переедание и перепивание, избыточная увлеченность какими-то продуктами или допингами (кофе, сигареты) или даже полный сбой работы внутреннего «компьютера» при введении внутрь большого количества алкоголя или наркотиков.

В общем, нашему организму можно только посочувствовать — в каких ужасных условиях ему иногда приходится существовать. Ему для нормальной жизни нужно немного разнообразной пищи, а его заваливают огромными порциями часто однообразной снеди и напитков.

Посочувствуем строителям. Чтобы понять, как тяжело приходится нашему организму, представьте себе следующую ситуацию. Вы — руководитель бригады строителей и должны в определенный срок построить дом. Для этого вам нужны самые разные материалы — песок, кирпич, цемент, доски, гвозди, стекло и множество других материалов. А ваш прораб присылает вам каждый день по машине цемента и чуть-чуть кирпичей, иногда кусок стекла или горстку гвоздей, а некоторые материалы и вовсе не поставляет. Вы с ним пробуете ругаться, протестовать, но *он вас не слышит*. У него друг работает на цементном заводе, и он там получает цемент почти бесплатно. Вот он вам и присылает цемент каждый день.

Как вы поступите в такой ситуации? Сроки поджимают, и дом вы все же построите, но из того, что у вас есть. В итоге у дома будут бетонными пол, стены, потолок, двери и т. д. — у вас просто не было других материалов. Но можно ли будет потом жить в таком доме? Как-то можно, но комфортно — никогда.

Теперь представьте, что ваш организм — это тот самый бригадир с рабочими, которые строят органы вашего тела. А *вы — прораб*, который поставляет своей строительной бригаде только макароны или пиво. Что они построят из этих материалов, вы можете себе представить. А ведь они строят ваше тело! И строят из того, что вы отсылаете в свой желудок. Так что не забывайте о нуждах тела в те моменты, когда садитесь за стол. Тяга и пристрастия к определенной еде и напиткам — это одно, а реальные нужды организма — это совсем другое. Не дадите организму стройматериалов, получите дефектное, то есть больное тело.

В результате неправильного питания у нас в организме образуется избыток одних веществ и недостаток других. Лишние вещества собираются в виде жира и других образований (шлаков) в органах и клетках нашего тела. Эти шлаки и другие отложения мы носим в себе десятилетиями. Бедное тело, тяжело же ему приходится!

Сюда же можно добавить использование некачественных продуктов, в которых находятся большие количества остатков химических веществ (консервантов, стабилизаторов, окислителей, красителей, гербицидов, пестицидов и пр.), которые организм усвоить не может ввиду их искусственного происхождения. Сюда же относятся нефильтрованная водопроводная вода, в которой могут содержаться самые разные вещества, отравляющие наш организм, загрязненный воздух и многое другое.

Большую часть лишних и неусваиваемых элементов организм выбрасывает из себя, но его защитные возможности все же ограниченны. Поэтому при избытке лишних элементов часть из них откладывается в клетках тела в виде шлаков и тем самым блокирует нормальную работу клеток и целых органов. Все это, к сожалению, рано или поздно приводит к заболеваниям физического тела.

В общем, если мы оглянемся на свою жизнь, то большинство из нас должны обязательно признать, что большего врага своему телу, чем мы сами, вряд ли сыщешь.

Но это еще не все.

Образ жизни. Наше тело — это весьма подвижная конструкция, в которой более жесткие элементы (кости) скрепляются между собой гибкими мышцами и суставами (да простят нас медики за такую упрощенную модель человека). И *он должен оставаться этой самой подвижной конструкцией*, иначе нарушается нормальное функционирование его элементов, движение потоков внутренней энергии. Мышцы должны периодически сокращаться и растягиваться, иначе они «застывают», деградируют и в них начинают активно откладываться различные шлаки. Позвоночник должен периодически растягиваться и изгибаться в разные стороны, иначе между позвонками откладываются соли и он заболевает. А можете ли вы достать руками пол перед собой? И давно ли вы делали это в последний раз?

В общем, тело требует ухода не только внешнего («мытья, чистки, смазывания»), но и внутреннего. Его нужно периодически разминать, иначе в нем начинают откладываться шлаки и оно заболевает. Подобные заболевания характерны для людей с сидячей работой, а таких очень много. Восемь—десять часов ежедневного сидения на стуле или в кресле (в том числе в автомобиле) приводят к застою всего, что может застояться в организме, а отсюда и заболевания. Далеко не все люди с утра (или вечером) найдут пару минут, чтобы сделать два-три полных наклона, не говоря уже о полноценной зарядке. Тут приходят на ум церковные ритуалы, во время которых человек кланяется до земли, — и гордыня усмиряется, и организм разминается одновременно.

Дачные копания в земле бывают полезными только в том случае, если вы занимаетесь там разнообразной работой. А если вы те же шесть—десять часов проводите, согнувшись колесом над грядками, то оздоровительного здесь почти ничего нет. Так что рекомендуем подумать над реальными нуждами своего тела и найти возможность *периодически разминать его* — иначе оно через болезнь заявит вам о неправильном отношении к нему.

Но и это еще не все.

Идеализация способностей. Еще одним источником заболеваний нашего физического тела является *переоценка своих возможностей*, то есть идеализация своих способностей. Это может проявляться в том, что вы беретесь за нагрузки, превышающие ваши реальные физические возможности, — поднимаете или передвигаете слишком большие тяжести, работаете до полного изнеможения и т. д. Ресурсы организма велики, но не бесконечны, и если его долго или очень сильно нагружать, то он надорвется. Сюда же относится игнорирование обычных норм безопасности — сознательное пребывание на сквозняке, переохлаждение из-за ношения легкой одежды в холодное время и т. д.

Конечно, в принципе ресурсы нашего организма практически безграничны. И если его тренировать по системе Порфирия Иванова или по методике цигун, то можно ходить в шортах круглый год, спать на стеклах, обливаться ледяной водой, есть только зерновые и т. д., и с вами ничего не произойдет. Но все это наш организм будет выдерживать, если им *специально заниматься*, развивать в себе эти сверхспособности. Но ведь большинство из нас не делают ничего даже для поддержания организма в нормальной форме, не говоря уже о специальных занятиях. А ожидания от организма такие, будто он должен выносить все, чем вы его нагрузите, и так множество лет. Он терпит, терпит, а потом ломается, то есть заболевает.

Так что еще одной типичной причиной возникновения заболеваний физического тела является *превышение тех нагрузок, которые он может безболезненно вынести* при имеющейся у вас степени физического и духовного развития (сверхспособности возникают только при развитии духа). Поэтому, прежде чем в очередной раз перегружать себя, подумайте, не сломается ли при этом очередной предохранитель внутри вас — с соответствующими последствиями.

Внешние влияния. Еще одной из причин появления заболеваний физического тела могут быть превышающие норму *внешние воздействия* на наше тело. Как известно, человек на 80 % состоит из воды, то есть он представляет собой большой (или не очень) «сосуд с токопроводящим раствором». А раз наша «начинка» токопроводяща, то она помимо нашей воли *взаимодействует с внешними источниками электромагнитных излучений.*

Значит, если вы живете под высоковольтной линией электропередачи переменного тока, вблизи мощной радиостанции или локатора, то часть электромагнитных излучений от этих источников застревает в вашем теле. Ваше тело поглощает какую-то часть этих электромагнитных излучений, и когда величина их превышает допустимую норму, защитные возможности иссякают и тело заболевает.

То же самое происходит и при других видах излучений. Большая доза радиоактивного излучения разрушает организм помимо нашей воли и независимо от количества наших грехов (а вот в тараканах, например, почти нет воды, и они безболезненно выдерживают огромные порции радиации). Солнце тоже иногда не только радует, но и огорчает нас своим избыточным излучением, особенно при наличии «озоновой дыры» над головой. Длительное пребывание неприспособленного человека в зонах с повышенной (пустыня летом) или сильно пониженной температурой тоже может привести к истощению защитных ресурсов и отказу организма.

В общем, непонятно даже, как мы еще живем при таких делах. Но что делать, раз уж так получилось, нужно постараться сделать так, чтобы прожить эту жизнь подольше и с удовольствием. А сделать это будет практически невозможно при больном теле. Так что о нем нужно заботиться ничуть не меньше, чем о душе.

А кто виноват. А теперь можно вернуться к одному из основных тезисов наших рассуждений и подумать о том, кто же виноват в том, что мы едим как попало и что попало, переедаем и перепиваем, не делаем зарядку, не говоря уже о занятиях спортом, и т. д.?

Магазины или работники сельского хозяйства, которые создают нам избыточные продукты? Или ваша работа, которая не оставляет времени на спорт? Или погода, которая то холодная, то жаркая? Или все же мы сами?

Ответ тут очевиден. *Мы сами решаем*, важно или не важно нам есть качественную и разнообразную пищу. *Мы сами решаем*, будем ли мы наедаться до отвала на очередном застолье или будем кушать и выпивать в меру. *Мы сами выбираем работу*, которая якобы не оставляет нам времени для занятий спортом. Но занимаемся ли мы спортом, когда у нас появляется это самое свободное время?

В общем, *мы сами создаем себе ту жизнь, которую имеем*. Это наш добровольный выбор, хотя нам не хочется признаваться себе в этом. Потому что какой человек, находясь в трезвом уме и здравом рассудке, выбрал бы себе такую жизнь? Назовем его ласково — странный человек.

Нам не хочется признаваться, что мы и есть эти самые странные люди, ведущие странную жизнь, приводящую к закономерному результату — заболеванию физического тела. Так что ваше здоровье — в ваших руках, а точнее, в вашей голове. Используйте же ее хоть разок для размышлений на эту тему.

Надеемся, вы сделаете для себя какие-то выводы. А мы пока подведем очередные итоги.

Итоги

1. Одной из возможных причин заболевания физического тела может стать ситуация, когда мы не обеспечиваем наш организм достаточным количеством химических элементов, необходимых для процесса восстановления тканей нашего тела.

2. Второй причиной может стать самоотравление, вызванное избыточным потреблением каких-то

продуктов в количествах, которые организм не может вовремя переработать и усвоить.

3. К третьей возможной причине можно отнести наше нежелание уделять внимание своему организму и удовлетворять его потребности в движении и разминке.

4. Кроме того, возможной причиной заболевания может стать наша переоценка своих возможностей, в результате чего нагрузки превышают допустимые пределы и организм отказывается нормально служить нам.

5. И наконец, еще одной возможной причиной заболевания тела могут стать чрезмерные внешние влияния на организм (электромагнитные, радиационные, тепловые и др.), которые могут привести к его отказу.

Сколько мы спим и работаем?

Приступая к рассмотрению темы здоровья, мы выдвинули тезис о том, что источником заболевания физического тела могут стать искажения в любом из тонких тел человека. Как вы помните, мы используем восточную модель устройства человека, предполагающую, что оно состоит из физического и шести тонких тел. Первое из тонких тел носит название «энергетическое», или «эфирное» тело человека. Именно оно в основном отвечает за наше здоровье. И именно с ним работают многочисленные биоэнерготерапевты, экстрасенсы, целители и даже врачи. При желании и минимальных навыках это тело можно увидеть в виде серо-голубого облачка, повторяющего контуры нашего физического тела и выступающее за его пределы на несколько сантиметров.

Что куда течет. Принято считать, что эфирное (энергетическое, полевое) тело состоит из частиц (или волн), во много раз меньших, чем те, которые известны сегодня ученым. Скорее всего через некоторое время им удастся выявить эти частицы и более подробно описать их.

Мы же будем исходить из того, что эта энергия существует и с ней можно работать. В древней китайской медицине эта энергия называется *ци*, в индийской йоге — *прана*. В последнее время принято называть эту энергию *жизненными силами, биополем* или *полевой структурой человека*. Считается, что именно эта энергия заставляет клетки и органы нашего тела выполнять свои функции согласованно и так, как это было задумано при сотворении человека.

Нужно отметить, что нет единого мнения о том, каким образом эти энергии протекают в теле человека.

Наиболее распространена древняя китайская модель энергетических потоков в теле человека, которая утверждает, что *энергии протекают у нас в теле по 12 парным меридианам* [13]. Меридианы имеют собственные названия (меридиан легких, меридиан печени, меридиан тонкой кишки и т. д.). Они проходят внутри человеческого тела, но каждый из них имеет выходы на поверхность тела. Точки выхода меридианов называются БАТами (биологически активными точками), места их расположения на теле довольно точно описаны в соответствующих атласах. Именно на них воздействуют врачи при акупунктуре (иглоукалывании, прижигании), акупрессуре (точечном массаже) или при использовании различных электронных приборов, воздействующих на точки электромагнитным, световым или лазерным потоком.

Невзирая на то что не существует каких-либо объективных доказательств наличия этих каналов, эту модель протекания внутренней энергии подробно изучают врачи-иглотерапевты в медицинских вузах и потом используют для лечения. И результаты часто получаются очень хорошими.

Но это далеко не единственная версия того, как могут протекать энергии внутри нашего тела. Например, у даосов имеется своя модель протекания внутренних энергий, которая называется Микрокосмическая орбита [15]. Согласно этой модели, энергия протекает внутри человека по кольцу, расположенному от макушки головы до промежности, поднимаясь по позвоночнику и опускаясь по передней части тела. Многие даосские техники оздоровления и омоложения тела используют именно эту модель и дают прекрасные результаты.

У индийских йогов энергия поступает в тело человека через семь основных центров, называемых чакрами. Чакры имеют вид воронки, вершина которой находится на позвоночнике, а широкая часть обращена наружу. Через чакры эфирная энергия из внешнего мира попадает в тело человека.

Питер Кэлдер рассказывает о древней тибетской энергетической модели, которая состоит из 19 вихрей [16]. Согласно этой системе, в нашем теле имеется семь основных вихрей и двенадцать дополнительных, расположенных в суставах верхних и нижних конечностей.

Автор системы ДЭИР Д. Верещагин предложил свою модель протекания энергий внутри тела человека. Он утверждает, что внутри нас протекают два противоположных энергопотока [17]. «Восходящий» поток поднимается из земли, проходит снизу вверх, сквозь тело человека — чуть впереди позвоночника и уходит в космос. «Нисходящий» поток приходит из космоса на макушку и уходит в землю по позвоночнику сквозь тело человека. Человек получается как бы нанизанным на две невидимые ниточки энергопотоков. Нужно отметить, что приверженцы этой

модели протекания внутренней энергии тоже достаточно успешно используют ее для решения своих
проблем со здоровьем.

Известный российский целитель С. Коновалов предложил еще одну модель течения энергопотоков [18].
У него Божественный основной канал начинается в
«интеллектуальной чаше», расположенной на 5−10 см
выше головы, и заканчивается в «чаше плоти» на
5−10 см ниже копчика. Этот канал ветвится, и самые
мельчайшие его канальчики достигают клеток нашего тела и питают их энергией.

Существует также множество других моделей протекания энергии сквозь (или внутри) тела человека.
И что интересно, *все они позволяют решать свои
проблемы со здоровьем тем людям, кто верит в их
наличие* и использует для работы над собой.

Фэн-Шуй наоборот. Но эфирные энергии протекают не только внутри тела человека, но и вне его, то
есть в окружающем мире. Мы живем в мире тонких
энергий, которые протекают вокруг нас и взаимодействуют с нами, но мы этого не ощущаем. Мы поглощаем эти энергии с дыханием, через кожу или через
чакры. В общем, эти энергии обеспечивают наше существование, постоянно взаимодействуя с нашими
внутренними энергопотоками.

Но при определенных условиях влияние внешних
энергий может меняться, и тогда они могут быть не-
благоприятными для человека, а порой даже губи-
тельными.

Эфирные энергии, независимо от нашей воли или
других факторов, постоянно протекают вокруг нас и
создают свои «завихрения» или «заводи» в наших
жилищах и тем самым влияют на наше здоровье. На
наше здоровье могут оказывать неблагоприятное
влияние планировка квартиры или офиса, мебель,
предметы быта, одежда и многое другое.

Несколько тысяч лет назад, когда люди и не слышали о таких словах, как «наука» и «техника», они были близки к Природе. Некоторые из них обладали способностью видеть, *как внешние энергетические потоки протекают вокруг нас и взаимодействуют с нашими внутренними энергопотоками.* Наблюдая взаимодействие людей и энергии *ци* (мы будем пользоваться устоявшимся названием), они выработали множество рекомендаций, где и как человеку правильно расположить свое жилище, как правильно спланировать комнаты, где и как разместить мебель, очаг, источник воды и многое другое внутри дома.

К сожалению, сегодня практически нет людей, которые умеют видеть протекающие вокруг нас энергопотоки (во всяком случае, мне не приходилось с ними встречаться, а было бы очень интересно). Поэтому мы вынуждены применять в настоящей жизни те рекомендации, которые были выработаны много тысяч лет назад в совсем других условиях жизни. Эти древние рекомендации изложены в учении Фэн-Шуй, которое получило сегодня широкое распространение [19, 20]. Многие современные авторы пробуют адаптировать их к нынешним условиям, но, поскольку они сами не обладают видением энергопотоков, к их рекомендациям нужно относиться достаточно осторожно, чтобы не получить очередную ментальную порчу.

В общем, у нас нет своей модели того, как и куда текут жизненные энергии внутри и вовне нас. Конечно, можно было бы придумать что-то свое, но зачем? Нам все равно, как протекают эти самые энергии. Лишь бы они были и протекали именно туда, куда нужно.

Что приводит к заболеваниям. Когда же возникают заболевания эфирного тела? Они появляются, когда в этом теле возникают *нарушения нормально-*

го протекания внутренней энергии. Это ощущается сенситивами (людьми, обладающими повышенной чувствительностью, экстрасенсами) как уплотнение, разрежение или любая другая неоднородность полевой структуры (ауры) человека.

Такие нарушения могут быть как следствиями негативного воздействия других тонких тел человека (эмоционального, ментального и пр.) на течение эфирной энергии, так и нарушений самого энергетического тела. Когда же оно может ослабеть и заболеть само по себе? Вариантов здесь немало.

Недосыпание. Прежде всего, это может быть следствием *истощения энергетического тела* из-за ваших хронических перегрузок и недосыпания. Во время сна человек заряжается энергией из окружающей среды (точнее, поступающая через дыхание и от органов пищеварения энергия значительно превышает расходы организма на поддержание жизнедеятельности во время сна), во время бодрствования он тратит эту энергию.

Так вот, если мы будем долго недосыпать или работать на износ, то расход энергии превысит ее поступление, энергетическое тело ослабнет и человек заболеет. Во время болезни (если она не очень тяжелая, конечно) человек получает возможность отоспаться, отдохнуть и подзарядиться для последующего бега по жизни.

Хронически недосыпающий, переутомленный человек всегда раздражен, ничто его не радует, малейшие нарушения устоявшегося режима вызывают волну негативных эмоций. Понятно, что при таком состоянии духа его тело неминуемо вовлекается в этот процесс и через болезни дает еще больше обоснований для размышлений на тему: вся наша жизнь — сплошная помойка. А причина всего этого иногда бывает совсем проста — хроническое недосыпание.

Избыточное сочувствие. Другой причиной истощения энергетического тела может стать избыточная *отдача ваших жизненных сил другим людям*. Это может происходить вполне добровольно — когда вы сочувствуете или сопереживаете человеку, испытывающему какие-либо моральные или физические страдания. Вы считаете, что Жизнь несправедливо обошлась с ним, и пытаетесь ему помочь таким образом. Если это происходит постоянно (больной человек находится рядом с вами или вы встречаетесь с ним на работе), то в результате ваше собственное энергетическое тело постепенно истощается и вы можете заболеть. Врачи или целители, сильно сочувствующие своим пациентам, сами нередко получают различные заболевания.

Энерговампиризм. Другая разновидность — *неконтролируемая и неосознаваемая отдача ваших жизненных сил другому человеку*. В обществе подобный неравноценный энергообмен получил название «энергетический вампиризм». Энергетическими вампирами обычно являются очень больные или очень уставшие люди. Если такой человек находится рядом с вами, то ваши энергетические оболочки соприкасаются и происходит их выравнивание — от вас часть энергии перельется этому человеку, или наоборот. Кто здоровее, у того заберется, кто послабее, тому достанется.

Это *нормальный процесс*, имеющий место в жизни большинства людей. Выравнивание энергопотенциалов происходит всегда, когда люди близко соприкасаются друг с другом — в автобусе, вагоне метро и в других местах скопления людей. Более сильные и здоровые отдают часть своих жизненных сил более слабым. Но и здоровый и энергичный человек (энергодонор) может не поспать пару ночей и начать тянуть энергию из окружающих, то есть на время стать энерговампиром.

Подобные процессы энергетических обменов подробно описаны, так что мы не будем останавливаться на них. Мы лишь констатируем, что длительное нахождение рядом с больным или погруженным в горе человеком, особенно когда вы сочувствуете ему, может привести к *истощению вашей энергетики и заболеванию*. Но может и не привести, если вы достаточно здоровы и вашей энергии хватает на двоих.

Еще один вид вампиризма — это *получение от вас порции жизненных сил через конфликт*. Кто-то (энергетически ослабленный человек, энерговампир) провоцирует вас на скандал, вы вспыхиваете и говорите своему оппоненту то, что вы о нем думаете (или куда ему нужно пойти). Поскольку в таких ситуациях слова произносятся очень эмоционально, то в них вкладывается приличная порция энергий. От вас этот энергетический сгусток отрывается и достигает «доставшего» вас человека, который усваивает часть этих энергий и на время успокаивается. Если вы будете так разряжаться довольно часто, то ваша энергетика ослабнет и возникнут заболевания.

Сглазы. Другой вариант энергообмена — когда кто-то о вас плохо говорит или думает, особенно если он испытывает при этом сильные эмоции (понятно, что не радостные). От такого человека буквально отрываются *энергетические сгустки (эманации), которые могут к вам прилипнуть и вызвать искажения в течении уже ваших собственных энергопотоков*. В народе такое взаимодействие называется «сглаз». Подобные энергообмены могут иногда привести к заболеваниям из-за внесения в ваше энергетическое тело искажений или его истощения.

Общение с больным. Заболевание может передаваться от больного человека к здоровому не только за счет отъема энергии. У здорового человека может хватить жизненной энергии на двоих, но он все равно может получить заболевание. Здесь уже действует механизм *обмена информацией о состоянии органов между людьми.*

Несколько лет назад ученые провели следующий эксперимент. В две клетки посадили по крысе, одну больную, другую совершенно здоровую. Крысы раньше между собой не встречались, то есть «не были знакомы». Клетки поставили рядом, но между ними поместили деревянную панель, которая не позволяла крысам увидеть друг друга. Их нормально кормили и следили за состоянием здоровья. Через месяц обнаружилось, что у здоровой крысы появились все признаки заболевания, которые имелись у больной крысы. Никаких видимых оснований для возникновения у здоровой крысы заболевания не было. Этот опыт повторяли в разных вариантах много раз и в результате пришли к выводу, что здоровая крыса заболевает от больной. Естественно, что между ними происходит энергообмен, но не такой, чтобы привести к заболеванию. Значит, причиной заболевания был не отъем энергии, а *получение информации от больной особи.* Информация переносилась, видимо, в процессе обмена энергиями и повлияла на течение энергий уже в здоровом организме, вызвав в нем заболевание.

Конечно, это очень упрощенный пересказ происходящих энергоинформационных процессов, но для наших целей этого достаточно.

Понятно, что процессы обмена информацией происходят не только у крыс. *Люди также активно обмениваются информацией о состоянии своего здоровья.* Нам не раз приходилось слышать рассказы о том, что сначала у мужа заболела правая рука, а через месяц — и у жены. Или у жены возникли боли в результате гинекологического заболевания, а через месяц-полтора у мужа появились боли в нижней части живота, и т. д.

Процесс обмена энергиями и информацией — нормальное и повседневное явление, все люди в нем участвуют. Здоровые своей «информацией» лечат больных, больные «дарят» информацию о своих болячках здоровым. Особенно интенсивно этот процесс протекает у близких людей, которые чаще обмениваются между собой энергиями. Эту особенность энергоинформационного обмена между людьми тоже можно рассматривать как один из возможных источников заболеваний.

Эфирные сущности. Кроме того, по утверждениям некоторых авторов и просто людей с расширенным диапазоном восприятия (экстрасенсов), существует множество *живых сущностей, состоящих из эфирной материи*. Обычно это очень малоразвитые сущности, что-то вроде пиявок или клещей, только значительно больших размеров. Поскольку они не имеют физического тела, мы их не видим. А они могут присосаться к нам и потихоньку тянуть из нас жизненные силы, приводя к истощению организма. В народе такие астральные (точнее, энергетические) сущности называют «лярвами» и другими малопочтительными словами. Существует множество народных способов, позволяющих предохраняться от них или избавляться от присутствия подобных непрошеных подселенцев.

«Словомешалка». Очень большой урон вашей энергетике может нанести ваша же *неконтролируемая и интенсивная работа ума* — «словомешалка». Умственная деятельность требует немалых затрат жизненных сил, и если у вас в голове все время крутятся какие-то мысли, то со временем это может привести к хронической усталости и даже заболеванию. А если эти мысли еще и невеселые, то итогом будет полное «обесточивание» организма.

Здесь уместно напомнить о таких понятиях, как тоска и депрессия. Это состояние человека с проваленной энергетикой. Куда же делась энергия тоскующего по родине (любимому человеку, ребенку, семье) человека, ведь он ест и дышит, как все остальные люди? Она *ушла от него к тому, о ком он непрестанно думает.*

Длительно размышляя о ком-то, вы тем самым создаете энергетический посыл по отношению к этому человеку или объекту. Если вы думаете об этом долго и без радости, то энергия уходит от вас и не восстанавливается. И руководят всем этим процессом ваши бесконечные мысли и воспоминания, то есть «словомешалка». Поэтому многие религии и духовные школы начинают обучение своих приверженцев с умения останавливать неконтролируемый бег мыслей в голове.

Патогенные зоны. И еще один источник искажений энергетического тела — это *нахождение в зонах, где имеются вредные воздействия на организм.* Это могут быть вполне материальные электромагнитные поля — если вы живете вблизи линии электропередачи переменного тока или вблизи мощного радио- или телепередатчика. Это могут быть и неизмеряемые современными приборами, но вполне действенные тонкоматериальные энергетические потоки, возникающие в местах подземных разломов, пустот, потоков воды и т. п. Никакие существующие приборы не могут выявить эти тонкоматериальные энергопотоки, но, невзирая на это, они порой оказывают очень большое воздействие на состояние здоровья людей. Скорее всего так происходит потому, что мощные внешние энергопотоки взаимодействуют с внутренними энергопотоками и вызывают их искажения. А искаженный внутренний энергопоток — это и есть заболевание, которое со временем проявится как заболевание уже физического тела.

Кроме того, вроде бы существуют невидимые силовые поля (сетка Хартмана), на пересечении линий которых тоже возникают небольшие геопатогенные области, в которые нежелательно попадать человеку на длительное время. Мы уже рассматривали, как можно выявить места прохождения этих силовых линий в вашей квартире [8].

Способов внешних и внутренних энергетических влияний на наше эфирное тело существует множество, и большинство из них со временем приводят к заболеванию и физического тела. Все это нужно учитывать в своей повседневной жизни для того, чтобы можно было осознанно искать причины возникновения того или иного заболевания. И принимать меры к выздоровлению.

Кто виноват. Если вернуться к поиску виновных в проблеме со здоровьем, то и здесь все становится ясно. Кто построил свою жизнь так, что нет времени на сон или отдых? Кто без конца сочувствует больным вместо того, чтобы вместе с ними поискать корни их заболеваний? Кто вступает в конфликты и вызывает эмоциональные всплески, когда нарушается какой-то идеал? Кто провоцирует других людей на негативные мысли в свой адрес? Кто не может навести порядок в своей голове? Наверное, все это делаем *мы сами*, никто нас не заставляет выкидывать все эти фокусы. Поэтому вновь подтверждается идея о том, что наше сознание, наше отношение к жизни определяют наше бытие, и в том числе состояние нашего здоровья.

А теперь пора перейти к итогам этой главы.

Итоги

1. Одной из причин заболеваний физического тела может стать искажение энергетических потоков в нашем эфирном теле.
2. Существует множество вариантов объяснения того, как именно протекают энергии в нашем теле.

Все варианты работают одинаково хорошо, если вы считаете их верными.

3. Причиной истощения или искажения эфирного тела могут быть недосыпание и длительные перегрузки, избыточное сочувствие или неконтролируемая отдача ваших жизненных сил ослабленному человеку. Вы можете получить информационный посыл о болезни от больного родственника. На вас могут напасть невидимые сущности эфирного плана или плохо воздействовать патогенные поля. Вы сами можете потратить все свои жизненные силы, если у вас в голове постоянно работает неконтролируемая «словомешалка», которая будет искать вам врагов, сеять сомнения и страхи.

4. Все указанные повреждения эфирного тела не могут возникнуть без нашего сознательного или бессознательного участия. То есть мы сами, принимая те или иные решения, создаем себе потенциальную возможность для заболеваний.

Не слишком ли много переживаем?

Теперь мы переходим к рассмотрению проблем со здоровьем, которые могут возникнуть в результате искажений в нашем эмоциональном теле.

Практически все люди рождаются веселыми, причем беспричинно веселыми. Вспомните младенцев — они радуются всему, что видят или ощущают. И лишь научившись говорить и осознав, какие правила существуют в мире взрослых, дети начинают испытывать нерадостные эмоции. Они понимают, что существуют свои и чужие вещи, причем чужие обычно лучше, чем свои. Они познают, что есть правила, по которым ты должен кушать, невзирая на отсутствие аппетита или желание съесть что-то другое, и так далее. Все это вызывает у ребенка нерадостные эмоции. А каждое негативное переживание оставляет отпечаток в нашем теле.

В мышцах *физического тела* остаются воспоминания о том, «как у вас похолодели (или затряслись) руки», «сжалось сердце», «накатила волна ярости», и о подобных ощущениях, которые возникают во время переживаний. Естественно, чем больше мы переживаем, тем больше подобных зажимов накапливается в нашем физическом теле.

Сами же переживания в виде энергетических сгустков грязного цвета откладываются в нашем *теле эмоций*. Со временем эти сгустки рассасываются, но не до конца.

Об этом подробно рассказывалось в наших предыдущих книгах [1, 2, 4, 6]. Мы предложили измерять количество накопленного негатива по уровню заполнения условного сосуда — «накопителя переживаний» (или «сосуда кармы»). *Уровень комфортности нашей жизни зависит от того, насколько заполнен этот сосуд*. Если человек испытывает длительные негативные переживания по какому-либо поводу, то Жизнь применяет по отношению к нему свои «воспитательные процессы», чтобы доказать ему ошибочность его сверхценных идей (идеализаций). Инструментом для «воспитания» в данном случае являются различного рода заболевания. Более подробно мы будем рассматривать этот вопрос в следующей главе. Здесь лишь заметим, что первой типичной реакцией человека на любой кармический «воспитательный» процесс есть эмоции раздражения, гнева или страха. Мы не понимаем, почему так произошло, почему жизнь становится все хуже и хуже, в том числе — откуда взялось новое заболевание. Здесь, казалось бы, *самая пора задуматься о том, правильно ли вы относитесь к жизни*. Но делают это совсем немногие люди. Значительно проще сходить к врачу или целителю и хотя бы на время избавиться от болезни.

Но врачи или целители обычно не работают с нашими эмоциями. Они занимаются нашим физическим (лекарства, процедуры, массаж) или энергетическим (иглотерапия, молитвы, свечка, наложение рук и пр.) телом. Это помогает, но только тогда, *когда корень заболевания лежит в нарушениях физического или энергетического тела.* Когда причиной заболевания являются накопленные переживания, эти способы либо помогают на время, либо совсем не помогают.

Механизм влияния эмоций на здоровье. Наши эмоции — это те же энергии, но несколько более тонкие, чем энергии эфирного плана. Например, спортсмен может быть абсолютно здоровым, но совершенно неэмоциональным человеком. То есть у него будет очень развито энергетическое и малоразвито эмоциональное тело. И наоборот, бывают слабые и больные, но очень эмоциональные люди.

Любое переживание — это всплеск энергий эмоционального плана, которые влияют на энергии эфирного плана, увлекают их своим движением. Так сильный ветер (разреженная субстанция) может вызвать большие волны, то есть привести в движение более плотную и инертную воду. Например, когда мы испытываем радостное возбуждение (в нас бурлят эмоции), то все тело наливается силой и нам кажется, что мы можем свернуть горы. В итоге у нас объективно повышаются реакция, выносливость, сила и прочие качества — все это дает активизацию нашего энергетического тела.

Если же мы испытываем негативные переживания, то эмоциональные энергии вновь бурлят в нас, создавая сгустки, так называемые *мыслеформы.* Негативные мыслеформы накапливаются в нас и начинают влиять на протекание энергий в эфирном теле. *Течение потоков эфирной энергии нарушается*, и вместо ровного и спокойного протекания возникают завихрения, провалы, застои и прочие искажения нашей энергетики. Какие-то клетки или целые органы перестают получать необходимое количество жизненных сил и заболевают. А искажения энергетического плана неминуемо проявятся в нашем физическом теле в виде заболеваний.

Негативные переживания влияют на энергетическое тело и напрямую. Например, когда человек в ярости, его эфирное тело приходит в движение и наполняет силой мышцы тела. Но чаще мы своими переживаниями типа: «все плохо, я неудачник, я никому не нужен» и т. д. — просто *изгоняем эфирную энергию из своего тела*, оно становится слабее и слабее. Иногда подобные мысли приводят к депрессии, характеризующейся полным отсутствием жизненных сил.

Возможно, механизм влияния эмоций на энергетику и несколько иной, но это не важно. Важно то, что такая зависимость существует и ее нужно учитывать в своей повседневной жизни. Если, конечно, вы желаете оставаться здоровым человеком.

Кто чаще болеет. Наш опыт консультирования людей с большим заполнением «сосуда кармы» показывает, что наиболее подвержены заболеваниям люди, которые *не склонны проявлять свои эмоции*. Такое поведение может быть следствием хорошего воспитания, врожденной скрытности или наличия идеализации отношений между людьми. Эти люди «*загоняют все свои переживания внутрь*», и они там накапливаются. Но наш организм — не бак для эмоциональных «отбросов». Он, как может, приспосабливается и противостоит этому, а потом сдается. *Заболевание является формой протеста организма против того,* *что вы устроили из него помойку.* Сначала он может прореагировать на ваше поведение небольшими отклонениями давления, головными болями, язвой желудка и т. д. А потом, после исчерпания всех защитных ресурсов, наступает неизлечимое заболевание, например рак. Организм больше не может терпеть и отказывается служить человеку.

Люди, которые предпочитают выплескивать свои эмоции на окружающих, менее подвержены заболеваниям. Но это не значит, что мы рекомендуем вам открывать рот и обрушивать на окружающих все те незатейливые мысли, которые возникают в вашей голове по их поводу. Ведь если и окружающие станут поступать так же, то наша жизнь будет напоминать свару в собачьей стае. Мы рекомендуем *научиться жить так, чтобы вы не испытывали негативных эмоций*, и тогда вам незачем будет загонять их внутрь или изливать на окружающих.

Высшие силы дают подумать. В предыдущих книгах нами были рассмотрены шесть способов, которыми Жизнь разрушает наши избыточно значимые идеи [1, 4]. Последний из них говорит о том, что Жизнь предоставляет нам время подумать над тем, правильно ли мы к ней относимся. Как она это делает? Человек принудительно вырывается из потока событий и попадает либо в тюрьму, либо на больничную койку. Сейчас нас интересует как раз второй вариант.

Тяжелые заболевания, требующие длительного лечения, обычно возникают при заполнении «сосуда кармы» до 85 % и более. До этого Жизнь посылает человеку более легкие сигналы-напоминания, что он слишком упорствует в своих заблуждениях и надо научиться быть более спокойным и не принимать так близко к сердцу то, что от вас не зависит. Если человек не слышит этих сигналов, то к нему применяются более жесткие меры, включая тяжелые заболевания, вплоть до онкологических. Если человек осознает свои заблуждения и прощает себя, жизнь и других людей, то болезнь отступает, часто даже без всякого врачебного вмешательства.

Что приводит к переживаниям. Раньше мы подробно рассматривали, в каких ситуациях могут возникнуть негативные переживания. Обычно они появляются тогда, когда что-то вас не устраивает в окружающем мире или в самом себе. У вас есть некоторая (часто неявная) идея о том, в какой ситуации вы бы радовались жизни. Вы сравниваете реальность с этими ожиданиями и понимаете, что все не так. И здесь возникает как раз то, что мы относим к негативным эмоциям.

Переживать мы будем до тех пор, пока не *добьемся, чтобы все было, как нам хочется*, но так бывает довольно редко, особенно с учетом долговременных последствий. Либо мы *откажемся от своих ожиданий*, то есть смиримся с действительностью, пересмотрим свои взгляды на нее, найдем в негативе позитив. Либо *изменятся обстоятельства жизни* (развод, смена работы, переезд в другое место, болезнь, война и пр.), и наши прежние идеи окажутся совсем незначимыми. Либо мы умрем, и переживать больше будет некому.

Вы можете выбрать любой путь, все они ведут к желаемому результату. Другое дело, что только *путь пересмотра своих избыточно значимых идей и отказ от переживаний в случае, когда эти самые идеи не реализуются*, гарантируют вам хорошее расположение духа (слова вроде бы обиходные, но какой глубокий смысл!) и отсутствие заболеваний, связанных с перегрузками эмоционального тела. Собственно, и менять обстоятельства жизни нужно только после того, как вы научились прощать и перестали переживать по поводу каких-то ранее очень важных для вас идей.

Так что выход у нас остается один — радоваться жизни, какой бы она ни была. Как это можно научиться делать, довольно подробно рассмотрено в предыдущих книгах [1, 4, 6, 7]. Но и в этой книге мы еще не раз будем возвращаться к этой теме. А пока настала пора подвести итоги.

Итоги

1. Если человек длительное время испытывает негативные переживания, то в его эмоциональном теле появляются сгустки негативной энергии (негативные мыслеформы).

2. Негативные мыслеформы имеют свойство накапливаться. Сами по себе они рассасываются и теряют силу за довольно длительное время.

3. Негативные мыслеформы оказывают влияние на течение эфирной энергии и тем самым лишают какие-то органы или клетки организма необходимой им порции жизненных сил. В итоге в этих местах возникают заболевания.

4. Чаще болеют люди, которые не показывают своих переживаний, а загоняют их внутрь организма.

5. Лучший способ содержать свое эмоциональное тело в чистоте — это жить так, чтобы вы не испытывали негатива ни по какому поводу.

Зачем вы заболели?

В этой главе мы рассмотрим, какие наши ошибочные убеждения или негативные программы могут привести к заболеваниям. Оказывается, ситуация здесь еще хуже, чем даже с переживаниями. Огромное количество факторов влияют негативным образом на наше сознание, а результатом может стать очередное заболевание.

Некоторые авторы попытались даже нащупать однозначную связь между нашими негативными мыслями и конкретным заболеванием.

Например, Луиза Хей предлагает целую таблицу, в которой указана взаимосвязь заболевания того или иного органа и виды негативных мыслей, которые могли к этому привести [22]. Болезни желудка, к примеру, по ее мнению, вызываются боязнью нового, нежеланием усваивать новое. Гастрит есть следствие затянувшейся неопределенности или чувства обреченности. Язва желудка вызывается страхами и твердой уверенностью, что вы ущербны, и так далее.

В. Жикаренцев предложил довольно сходную с вышеуказанной таблицу соответствия наших негативных мыслей и конкретных заболеваний [23]. Согласно его данным, болезни желудка вызываются опасениями, боязнью нового. Гастрит есть чувство длительной неуверенности, неопределенности, обреченности. Язва есть следствие страхов и глубокой уверенности в том, что вы недостаточно хороши.

В. Синельников утверждает, что желудок символизирует способность перерабатывать, переваривать и усваивать какие-либо идеи и ситуации [24]. Поэтому, когда у нас проблемы с желудком, это означает, что мы не знаем, как ассимилировать жизнь. Нам становится страшно перед чем-то новым. Мы не способны усваивать какие-либо события.

Лууле Виилма тоже приводит множество внутренних причин, по которым может болеть наше тело [25]. Например, относительно желудка она указывает, что он символизирует начало работы. Кто не желает приступить к работе, у того желудок не вырабатывает желудочный сок. А кто приступает к делам со злобой, у того поначалу образуется воспаление слизистой оболочки — гастрит. Если злоба усиливается, то начинается язвенная болезнь. Если злоба приобретает постоянный характер и целенаправленность, то язвенная болезнь переходит в рак, и так далее.

Как видим, толкования разных авторов о причинах возникновения одних и тех же заболеваний, мягко говоря, не совсем совпадают между собой. И это совершенно нормально, поскольку приведенные зависимости не являются результатом длительных, статистически подтвержденных исследований и наблюдений за больными людьми. Обычно подобная информация проявляется интуитивно или подсказывается кем-то из собеседников из Тонкого мира.

Вы уже понимаете, что причин возникновения того же гастрита может быть множество — мир многогранен, и каждый автор может увидеть, почувствовать и зафиксировать только одну грань нашего бытия. Все они сходятся только в одном — причиной любого заболевания является «мусор» в нашей голове, то есть проблемы нашего ментала.

Механизм влияния негативной мысли на здоровье. Энергии ментального плана настолько тонки, что, казалось бы, не могут напрямую воздействовать на грубое физическое тело. Но тем не менее они находят пути реализации своего воздействия на физическое тело.

Один путь — через эмоциональное тело, вибрации которого хотя и более грубы, но все же близки к вибрациям ментала. То есть если у нас существует идеализация (избыточно значимая идея), то она хранится в ментальном теле. Когда человек обнаруживает, что реальность не совпадает с его ожиданиями, у него возникают негативные эмоции, которые через энергетическое тело могут привести к заболеваниям физического тела. Понятно, что это процесс медленный — пока еще накопятся переживания, которые перекроют энергоподпитку органа и вызовут заболевание. Но тем не менее очень распространенный.

Другой путь — значительно более быстрый. Мы прекрасно знаем, что *наши мысли мгновенно управляют движениями физического тела*. Захотелось взять книгу — мы тут же протянули руку и взяли. Без переживаний, без осознания того, каким путем мысль реализовалась в действие. Просто наша мысль вызвала соответствующее движение мышц тела.

Каким образом наша бесплотная мысль воздействует на клетки головного или спинного мозга и заставляет их давать команды на сокращение тех или иных мышц тела — дело пока что малопонятное. Конечно, если подходить сугубо материалистически, то можно предположить, что мысль есть движение каких-то сигналов в клетках нашего головного и спинного мозга, и ничего более. Но существуют некоторые феномены, которые выпадают из этого объяснения. В мире живут и нормально себя ощущают несколько человек, у которых в результате несчастного случая повреждена или удалена часть головного мозга (вплоть до сквозного отверстия в голове). И ничего, живут и здравствуют ничуть не хуже других, у кого таких явных дырок в голове не наблюдается. В рамках сугубо материалистического подхода такие феномены не объясняются. Та же телепатия, ясновидение и прочие феномены тоже не объясняются в рамках материалистической модели работы головного мозга.

Скоре всего у клеток нашего мозга есть какие-то скрытые возможности, которые наука пока еще не обнаружила. Какие-то сверхчувствительные рецепторы, реагирующие на малейшие движения очень тонких ментальных энергий, своих, а иногда и чужих.

Собственно, этот механизм нас не очень интересует. Нам важно понимать, что *существует механизм прямого воздействия бесплотной мысли на физическое тело*, вплоть до вызывания его болезненного состояния и даже смерти. Например, известно несколько случаев, когда человек оказывался закрытым в большом морозильнике и погибал там через несколько часов со всеми признаками обморожения. Но этот холодильник не был включен, и в нем была комнатная температура! Человек не знал об этом, и ошибочная информация привела к смерти от воображаемого переохлаждения.

Известен также случай, когда электрик случайно коснулся рукой провода высокого напряжения и погиб с симптомами удара током, со следами ожога от электрического разряда. Но тщательно проведенная проверка показала, что высоковольтная линия в тот момент была отключена и провода не были под напряжением, но электрик этого не знал!

В общем, можно привести еще немало примеров, когда наше воображение (ментал) оказывало весьма неблагоприятное воздействие на физическое тело. Если люди даже умирают от воображения, то получить заболевание от какой-то глупости в голове — дело вовсе плевое. Какими бы умными мы себя ни представляли.

Как раз о подобных негативных программах и установках мы будем вести разговор в этой главе.

Реализуем чужие и свои установки

Для начала можно рассмотреть, какие неосознаваемые негативные программы могут привести к нарушению здоровья. Если помните, именно так реализуется пятый способ кармического «воспитания» [1, 4, 7]. Мы получили от каких-то людей или сформировали сами негативную программу (ментальную порчу), и затем она уже помимо нашей воли стала управлять нашим поведением. А также нашим состоянием здоровья.

В книге «Уроки судьбы в вопросах и ответах» [10] мы уже рассматривали, как связана свобода воли (свобода выбора) и неизбежность в жизни человека. Схема там простая. Сначала мы со своей свободой воли выбираем себе убеждение типа: «я живу в таком месте, где все болеют», а потом это добровольно выбранное нами убеждение с неизбежностью реализуется нашим организмом. И так будет происходить до тех пор, пока мы сами добровольно не выберем себе совсем другое убеждение (желательно положительное, типа: «Я прекрасно себя ощущаю в любом месте, где бы я ни находился»).

Соответственно *все наши негативные установки относительно здоровья с неизбежностью реализуются организмом.* И как бы мы с ними ни боролись, какие бы лекарства или приборы ни применяли, организм все равно должен будет реализовать данную ему нами же программу. Так вот мы весело живем, в непрерывной борьбе с самим собой. Зато не скучно.

Какие же источники получения негативных программ бывают? Жизнь показывает, что их существует множество.

Родители, родственники, знакомые. Прежде всего это, конечно, самые близкие вам люди. Их все время беспокоит ваше здоровье. И они постоянно ищут у вас на лице признаки приближающейся болезни. Кто ищет, тот всегда найдет, поэтому они периодически возвещают о найденных у вас явных признаках какого-то страшного заболевания. Как минимум они могут потребовать срочно пройти какое-то обследование (медицинское, у ясновидящей, по прибору и т. д.). Если вы им хоть чуть-чуть поверили — ментальная порча пришла и поселилась у вас в голове. Дальше она пустит корни и рано или поздно даст признаки предсказанного заболевания. Только самые отъявленные циники могут избежать такого исхода.

Да и просто знакомые, а то и незнакомые люди могут обратиться к вам с вопросом типа: «Что это у вас за мешки под глазами? Никак у вас с почками проблемы? Нужно скорей к врачу, а то поздно будет». В общем, обычно люди мало задумываются о том, что своими словами и ложной заботой могут нанести больше вреда, чем предполагаемой пользы.

Общественное мнение. Еще один мощный фактор — это существующие у окружающих вас людей убеждения относительно здоровья. К сожалению, не очень хороших стереотипов здесь хватает, и они тоже могут стать нашей неосознаваемой программой. Вспомните: «Шестьдесят лет, а он — как огурчик! Ведь надо же!» Скрытый смысл этих вроде бы приятных слов очевиден: в свои шестьдесят ему пора бы на погост собираться, а он все хорохорится, неугомонный какой! И те, кто эти слова говорит, сами уверены (внутренняя установка!), что они-то в шестьдесят лет ноги еле волочить будут, если вообще будут. А поскольку программа есть, она полноценно реализуется через заболевания.

Нужно сказать, что подобного рода негативных установок у нас в обществе имеется множество, они стали нормой нашей жизни, и мы даже не замечаем их. Вспомните: «Сорок лет, а все здоровый, пора бы полечиться», «В нашем городе ужасный воздух (вода, земля, начальство), здесь долго не живут», «На нашем предприятии ужасные условия, здесь обязательно заболеешь!» и другие расхожие мнения. Они у всех на слуху, люди повторяют их много раз, особенно при обсуждении своих или чужих заболеваний. В результате они становятся неосознаваемыми программами, которые принимаются организмом к исполнению.

Конечно, встречаются отдельные «вредные» личности, которые вопреки всему долго живут и не болеют, невзирая на все ужасные условия, но они вас не интересуют. Вы ищете подтверждения своим мыслям, и Жизнь исполняет ваше желание.

Врачи, фармацевты. Очень важную роль в формировании страхов и негативных установок играют различного рода медицинские работники. Не вдаваясь в серьезные исследования действительных причин, они собирают статистику заболеваний или смертности, накладывают ее на качество воздуха, воды (вид зубной пасты, стирального порошка, жвачки и т. д.), вычисляют свои какие-то нормы и потом громко возвещают: «У вас слишком плохой воздух, вы неминуемо заболеете!» или «Вы пользуетесь не той зубной пастой, кариес неизбежен!», «Пейте лекарства заранее, пока вы еще не заболели!» (видимо, без лекарства это неизбежно). Понятно, что при таком программировании с использованием всей мощи авторитета государственной власти или средств массовой информации устоять может только слаборазвитый. Нормально развитый информацию усвоит и приготовится болеть.

Система раннего оповещения о надвигающейся эпидемии гриппа внушает страх населению, которое начинает опасаться всего, и, естественно, эти опасения оправдываются. На этом выигрывают только фармацевтические фирмы, продающие огромные порции противогриппозных препаратов. А проигрывает все население, теряющее деньги и здоровье и собирающее страхи в свой «накопитель переживаний».

Реклама, СМИ. Очень эффективно запугивает население современная реклама. Известные артисты либо люди в белых халатах со ссылками на мифические ассоциации врачей подробно рассказывают, что вы обязательно заболеете, если не будете пить их порошок или не придете к ним на прием. При этом называются такие симптомы заболеваний, которые не найдет у себя только мертвый. Лишь человек с очень здоровой психикой при таком давлении не почувствует себя больным и не захочет полечиться. Но таких почти нет.

Многочисленные астрологи пугают нас обострением наших заболеваний. Метеоцентр предупреждает, что в такие-то числа ждите усиления ваших болячек. И так далее. Непонятно даже, как мы еще держимся.

Наблюдение за другими. Еще один распространенный путь приобретения страха заболеть (внутренняя программа: «у меня может быть такое же заболевание») — это *наблюдение за процессом протекания болезни у знакомых людей*. Вы им сочувствуете, помогаете и неосознанно примеряете к себе симптомы их заболеваний (непонятные боли, изменение температуры или ухудшение самочувствия). Естественно, какие-то симптомы совпадают, и вы начинаете тревожиться: «А вдруг и у меня это же заболевание?» И чем больше вы ищете этому подтверждений, тем больше их находите. Страх усиливается, ваши мысли становятся более энергетичными, и ваш неосознаваемый «заказ» на получение конкретного заболевания начинает исполняться все быстрее и быстрее. Если вовремя не остановиться, то организм просто вынужден будет «выдать» вам то самое заболевание, о котором вы столь интенсивно размышляете.

Иногда источником страхов может выступить не болезнь близкого человека, а слишком натуралистический показ течения какой-то болезни в художественном фильме или в книге. Это может быть какой-то документальный или публицистический фильм на тему плохой экологии или слабой медицины, подтвержденный показом травмирующих психику кадров протекания заболевания, или что-то подобное. Мы сравниваем себя с героем фильма и понимаем, что мало чем отличаемся от него. Отсюда вытекает логический вывод, что и *мы должны болеть теми же болезнями*, что и он. После этого остается только начать искать у себя симптомы заболеваний. И все, механизм «самозаказа» заболевания запущен.

Личный опыт. Еще один путь получения страхов со всеми вытекающими из него негативными последствиями — это личный опыт. У вас когда-то было сложное заболевание, но вы сумели избавиться от него с большим трудом. Больше вы не хотели бы попадать в подобную ситуацию, поэтому *постоянно отслеживаете, нет ли признаков того, что она может повториться*. А если искать признаки заболевания очень усердно, то обязательно можно что-то найти.

В общем, путей для внушения нам твердой уверенности в полной безнадежности состояния нашего здоровья очень много. Сложно отследить, когда происходит очередное ментальное нападение на нашу психику, поскольку оно может прийти от близкого или совсем незнакомого человека, со страниц прессы или с экрана телевизора, из случайно услышанного разговора посторонних людей и любым другим способом. Тем не менее нам нужно жить и оставаться здоровыми в подобных условиях.

Но это еще не все с ментальными источниками заболеваний.

Как «заказываются» заболевания

Следующий источник заболеваний, возникающий из-за наличия «мусора» в нашей голове, — это «заказ» себе заболевания.

«Кому это нужно?» — спросите вы. Оказывается, почти всем. Нередко заболевание дает нам не только боль и другие неприятности, но одновременно *служит источником немалых выгод*.

Болезнь дает конкретную выгоду. Чаще всего «заказывают» себе заболевание дети. Ребенку нужно много душевного тепла и заботы родителей. А они могут быть постоянно заняты выяснением отношений друг с другом или какими-то своими делами (бизнес, учеба, работа, увлечения, быт). Как ребенку привлечь к себе внимание родителей? У него есть только один выход — заболеть, и он им активно пользуется. Как только ребенок заболевает, родители бросают все свои дела и занимаются им — цель достигнута.

Но этим приемом активно пользуются и взрослые. Вам не хочется идти на неприятную вам встречу, но вы не видите возможности избежать этого — организм приходит вам на помощь. У вас поднимается температура (иногда на 2–3 часа), и вы со спокойной совестью остаетесь на месте — куда же вы пойдете с температурой?

Но это простой случай, а иногда заболевания «заказываются» на многие годы, и никакая медицина не в силах их излечить, поскольку они нужны вам для достижения каких-то своих целей. Приведем пример.

Элеонора, директор небольшой, успешно работающей фирмы, замужем, имеет ребенка. В течение последних 18 лет у нее то затухает, то обостряется гинекологическое заболевание. Многочисленные попытки избавиться от него не дают эффекта.

В ходе беседы выяснилось, что Эля в душе презирает своего мужа за отсутствие честолюбия, стремления выдвинуться, быть на виду (он работает кладовщиком). Сама же она — очень яркая и активная женщина, бывший комсомольский активист.

Замуж вышла после тридцати лет не по любви, а из-за того, что «годы подошли». Поначалу она пробовала «сделать из своего мужа человека», продвинуть его по службе, помочь занять престижную должность, но он от этого упорно отказывался. В итоге она стала презирать его, но... Годы, ребенок, общее имущество — она смирилась со своим бесцветным мужем, найдя себе отдушину в работе. Но как жена, она должна была выполнять свои супружеские обязанности (муж был очень сексуален), а ей этого очень не хотелось делать. Как ей отказать мужу так, чтобы не разрушить семью? Ее организм пришел на помощь в этих поисках — появилось гинекологическое заболевание, которое дало полные основания прекратить половую жизнь с мужем. И так длится уже много лет, поскольку заболевание нужно ей — оно спасает ее от домогательств мужа. И пока она не осознáет этого и не примет какое-то решение, никакое лечение не даст устойчивых результатов, поскольку болезнь ей нужна, она извлекает из нее явную выгоду.

Вот еще один пример, когда человек извлекает выгоду из своего заболевания.

Константин, 32 года, руководитель структуры сетевого маркетинга. Он заикается и никак не может избавиться от заикания, хотя перепробовал множество методик и врачей. Заикание мешает развитию его бизнеса, поскольку ему приходится много выступать перед людьми, а неразборчивая речь снижает эффективность выступления.

В ходе беседы выяснилось, что сильнее всего Константин заикается именно при публичных выступлениях, а в остальное время он разговаривает почти нормально. Он признался, что испытывает панический страх при каждом публичном выступ-

лении (идеализация собственного совершенства). Что же делает его заикание? Оно является своего рода защитным барьером, ограждающим его от возможных (по его мнению) насмешек слушателей при неудачном выступлении.

Если бы не заикание, то, может быть, страх совсем бы парализовал Константина и он не смог бы выступать перед аудиторией. А так все знают, что он заикается, и ни у кого не возникает желания засмеяться или покритиковать его. Наоборот, люди заранее сочувствуют ему, и он это понимает. Заикание нужно ему, оно защищает его от воображаемых ошибок или насмешек. И до тех пор, пока он не избавится от страха выступлений, его организм будет цепляться за заикание как за что-то очень важное и нужное. То есть здесь нужно бороться не с заиканием, а с идеализацией своего совершенства.

Подобных примеров можно привести множество.

Болезнь — способ существования. Например, пенсионеры часто болеют, поскольку *болезнь дает им занятие* — нужно ходить по врачам, соблюдать режимы приема лекарств или процедур. Есть обширные темы для общения с другими больными — какие появились новые лекарства, как протекает заболевание у знакомых, как ведут себя врачи по отношению к больным и т. д. и т. п. В итоге жизнь наполнена смыслом, человек чувствует себя при деле. А чем бы он занимался, если бы был здоровым?

Болезнь дает чувство собственной значимости. Еще вариант — ситуация, когда прежде известный и преуспевающий человек остается без дела. Спортсмен, артист, общественный деятель или политик, достигнув зенита славы, остается не у дел, часто в довольно молодом возрасте. Чем заняться человеку, привыкшему к вниманию и поклонению толпы, общению со знаменитостями? Пойти на рядовую работу? Душа этого не приемлет. И человек заболевает, но не простой, рядовой болезнью, а особенной, которую никто излечить не может (иногда это принимает форму психического заболевания). Сначала он лечится в своей поликлинике, потом в городской клинике, потом его направляют в специализированный институт, где его болезнью занимаются светила медицины. Все, он опять в центре внимания, с ним носятся, ему сочувствуют, с ним общаются знаменитости. Пусть ему больно, но он опять *создал себе ту жизнь, к которой стремился*. Его чувство собственной значимости полностью удовлетворено.

Болезнь как способ отдыха. Еще одна очень распространенная причина, по которой мы заболеваем, — когда нам хочется отдохнуть. Может быть, у вас очень напряженный ритм работы, не оставляющий времени на отдых. Может быть, вы сами вольны распоряжаться своим временем, но ваши внутренние установки не позволяют вам отдыхать, когда другие работают. Вы работаете, работаете, работаете и не видите возможности, как остановить этот непрерывный бег по жизни. Вы хотите сделать перерыв, но не знаете, каким путем это можно осуществить. Тут приходит на помощь организм, ресурсы которого действительно истощены, и *ваш внутренний «заказ» реализуется*.

Вы получаете очередное ОРЗ или что-то подобное и со спокойной совестью отдыхаете неделю-другую. Если бы у вас не было внутреннего «заказа» на отдых, то организм тянул бы свою ношу без всяких ОРЗ. В принципе, если у вас большие ресурсы, вы работали бы многие годы — так работают в реальности многие люди, увлеченные своим делом. Им некогда отвлекаться, и их организм не позволяет себе болеть, реализуя внутренний заказ хозяина: некогда тратить время на пустяки, нужно делом заниматься.

Иногда на помощь родителям приходит организм их детей — ребенок заболевает и обеспечивает матери пару недель на больничном по уходу за ребенком. Признаком такой ситуации является то, что ребенок обычно выздоравливает через два-три дня, и остальное время мать может полностью тратить на себя.

Болезнь как способ добиться внимания. Не только детям, но и взрослым иногда хочется отдохнуть от суеты и непрерывных хлопот, хочется почувствовать на себе заботу и внимание близких людей. В повседневной текучке все заняты своими проблемами — работой, зарабатыванием денег, строительством дачи или чем-то еще. В итоге, люди хоть и живут вместе, но у них нет общения, не хватает взаимного внимания, заботы, интереса к вашим проблемам. Вы ищете способ, как это можно получить, и находите — через болезнь. Как только вы заболеваете, на вас начинают обращать внимание, вечно занятый муж интересуется тем, что у вас на душе и что вам нужно, и так далее. Как без болезни все это получить? Почти невозможно.

Болезнь как способ избежать неприятного дела. Иногда болезнь приходит нам на выручку, когда очень не хочется что-либо делать. Вас пытаются послать в неприятную командировку, заставляют заниматься скучным и неприятным делом, обстоятельства вынуждают встречаться с неприятным человеком. Как избежать этого, если никто не собирается выслушивать ваши протесты? Только заболеть, и нужное вам решение придет само собой. Так что далеко не всегда болезнь приносит неприятности.

Болезнь как способ оттягивания важного решения. Иногда человеку нужно принимать важное решение — сменить место работы или жительства, жениться или развестись, попросить или потребовать что-то, а он не решается сделать это. Идеализация своего совершенства (в форме боязни сделать ошибку) мешает ему принять окончательное решение. Если сроки поджимают, а окончательного решения нет, на помощь приходит организм — он заболевает, и у человека появляются полные основания опять отложить срок принятия решения.

Болезнь как способ манипуляции окружающими. Очень распространенный способ влияния на окружающих — угроза заболеть или даже умереть. «Если вы не сделаете (или сделаете) то-то и то-то, я этого не перенесу!» — кому не приходилось слышать подобных слов? Обычно такой способ навязывания своей воли окружающим используют слабые люди, не имеющие возможности по-иному настоять на своем мнении. Но способ довольно действенный, особенно если ваши окружающие любят вас и не хотят стать источником ваших страданий.

Для усиления эффекта стоит иной раз действительно серьезно поболеть — тогда у окружающих не останется сомнений, что вы не шутите, и они поневоле станут выполнять все ваши прихоти.

Болезнь как способ добиться своей цели. Иногда болезнь используется как последний довод в попытке доказать что-то, добиться своей цели. Например, ребенок хочет получить какую-то игрушку, а родители не покупают ее. Стоит лишь заболеть, и мнение родителей об этой покупке сразу меняется — кому захочется почувствовать себя извергом, отказывающим больному ребенку.

Другой вариант — избыточно независимый ребенок всеми силами стремится выйти из-под контроля родителей. Поскольку родители тотально опекают ребенка, не давая ему быть хоть в чем-то самостоятельным, то у него остается только один способ избавиться от этого — заболеть. Больного не будешь дергать каждую минуту, так что ребенок получает хоть на время возможность побыть самим собой.

Болезнь как следствие некорректного заказа. Иногда возникает парадоксальная ситуация, когда болезнь является следствием некорректно сформулированной внутренней просьбы человека.

Например, один из участников наших тренингов рассказал, что он несколько лет безуспешно боролся с курением. В конце концов он внутренне взмолился: «Господи, помоги мне бросить курить! Я готов заплатить за это любую цену!» Через два дня у него открылась язва желудка, которую он лечил два года. Курить он бросил моментально.

Еще одна участница тренинга рассказывала, что после окончания института она попала на работу в организацию, где ее, молодого специалиста, стали использовать в качестве курьера. Это сильно возмущало ее, и она постоянно твердила: «Я не хочу работать ногами!» В итоге у нее развилось серьезное заболевание ног, которое лишило ее возможности свободно передвигаться. Теперь она работает только головой.

В общем, иногда нас что-то не устраивает, и мы стремимся как-то изменить ситуацию. Если мы не отслеживаем, какие мысли при этом крутятся в голове, то результат может быть самым неожиданным. Наш организм может выступить исполнителем нашего «заказа», причем таким образом, какого мы вовсе не ожидали. Так что давайте следить за тем, какие мысли постоянно имеют место у нас в голове и каким образом они могут исполниться.

Кармические «воспитательные» процессы через заболевания

Еще один возможный источник заболевания, связанный с проблемами в нашей голове, — это *кармиче-*

ские «воспитательные» процессы, направленные на разрушение наших идеализаций.

Обычно «воспитательные» процессы проходят путем разрушения наших идеализаций во внешнем мире — ранее мы рассматривали шесть способов, которые могут использовать для этой цели Высшие силы [1, 4, 7]. Но иногда, когда они затрудняются создать подходящую ситуацию во внешнем мире, используются заболевания. При этом *заболевание создает ситуацию, при которой разрушаются те идеи, которые приводили человека к длительным негативным переживаниям.*

Идеализация секса. Самый простой случай — переживания по поводу своей сексуальной неполноценности. Чем больше переживаний, тем больше вероятность того, что у мужчины разовьется импотенция (психологическая), а у женщины — фригидность, или что-то из этой серии, но тоже очень неприятное.

Идеализация красоты. Еще одна похожая идеализация — *идеализация красоты и своей внешности.* Понятно, что эта идеализация чаще всего встречается у женщин, которые стремятся всегда быть красивыми. Но у тех из них, кто каждый прыщик или пятнышко на коже воспринимают как жизненную катастрофу, очень вероятно появление кожных заболеваний, которые только усугубят страдания. И никакие лечебные процедуры не помогут избавиться от этого заболевания — здесь будет срабатывать третий способ кармического «воспитания». *Вы все время будете получать то, что презираете или осуждаете в самих себе.* Начинать лечение здесь нужно не с лекарств или процедур, а с изменения отношения к своему телу.

Идеализация способностей. Если вы помните, идеализация способностей проявляется в том, что человек считает, что он способен достичь огромного успеха и не нуждается ни в чьей помощи. Любой совет или критику он воспринимает как оскорбление, возмущается или яростно отстаивает свои убеждения. Либо обижается и замыкается в себе.

Обычно эта идеализация разрушается во внешнем мире — обстоятельства жизни складываются так, что у него все время срываются задуманные грандиозные планы, либо люди не видят или не признают его успехов, не ценят его усилий, не продвигают на те должности, которых он считает себя достойным (мужчины в этой ситуации обычно начинают пить).

Но иногда, когда деятельность человека не связана с общением с другими людьми, Высшим силам приходится прибегать к блокировке способностей. Например, если человек работает в одиночку и собирается сделать что-то грандиозное — написать новую компьютерную программу, изобрести новый вид энергии или создать новую теорию, то с течением времени у него могут возникнуть проблемы с памятью, вниманием, зрением и т. д. Он будет забывать элементарные вещи или не сможет подолгу сосредоточиться на важном для него вопросе. Заболевание вроде бы не болезненное (не радикулит), но неприятное, так как блокирует возможность достижения поставленной цели.

В рассматриваемой сфере нашей жизни идеализация способностей иногда проявляется в том, что вы считаете, что у вас «немереное» здоровье, вы можете выпить любое количество водки и съесть любое количество пищи, и вам не поплохеет. Вы можете переоценивать свои силы и работать на износ, испытывать огромные перегрузки и не делать ничего, чтобы организм имел возможность восстановиться. Естественно, что рано или поздно здоровье иссякнет, и у вас начнутся сильные переживания по этому поводу.

Идеализация цели. Очень близкие процессы могут использовать Высшие силы для разрушения идеализации цели. Приведем пример такого «воспитательного» процесса.

Наталья, девушка 25 лет. Еще в возрасте 15 лет Наталья четко спланировала свою будущую жизнь: после школы поступить в Финансовую академию, во время учебы пройти практику в инофирме, потом поехать за границу на стажировку, потом пойти работать в крупную зарубежную финансовую компанию. И она прямо со школьной скамьи приступила к реализации этих планов — перевелась в физматшколу, стала дополнительно заниматься иностранным языком, два года ходила на курсы подготовки в академию. Будучи студенткой, она активно продолжала изучать иностранные языки, проходила практику в инофирмах, занималась спортом — для поддержания хорошей физической формы. Естественно, на личную жизнь у нее времени совершенно не оставалось, и она вычеркнула ее из своих планов. Можно однозначно сказать, что у нее была непроявленная идеализация цели [1, 4].

После окончания института она получила направление на стажировку на два года в США. Но через три месяца учебы у нее неожиданно отказала память, она не могла запомнить прочитанный или услышанный материал. Никакие усилия врачей не помогли, и Наталья вынуждена была вернуться в Россию.

Через полгода память восстановилась, но за это время Наталья узнала, что в этом мире существует природа, общение с друзьями, художественная литература и многое другое, чего она была лишена на пути к своим целям. И теперь, хотя память восстановилась, Наталья уже не хочет возвращаться на тот путь, по которому она шла много лет. Она захотела увидеть мир во всем его многообразии, а не только путь к вершинам бизнеса.

Идеализация независимости. Еще одна распространенная идеализация, особенно часто проявляющаяся у молодых людей в возрасте 14—20 лет, — это *идеализация независимости.* Проявляется она в истеричной борьбе за свою полную независимость от любой формы контроля со стороны родителей. Иногда эта борьба дает неожиданный результат — разругавшись с родителями и избавившись от контроля с их стороны, человек попадает под тотальный контроль со стороны своей болезни. Приведем пример подобного развития событий.

Елена, девушка 20 лет, неожиданно заболевает сахарным диабетом. В их семье никто и никогда не болел диабетом, так что по наследству получить это заболевание она не могла.

Оказывается, Елена учится сразу в двух вузах, при этом сильно конфликтует с родителями, которые, как ей кажется, пытаются вмешиваться в ее жизнь. Она разругалась со своими друзьями, которые, по ее словам, предали ее. В общем, она конфликтует со всеми, кто пытается иметь свое мнение (друзья) или пробует вмешиваться в ее жизнь (родители).

И вот, на фоне такой тотальной независимости и самостоятельности, у нее неожиданно возникает инсулинозависимый диабет. И теперь, став независимой от людей, она стала зависимой от процедур — инсулин нужно вводить по расписанию три раза в сутки. Для нее это — не жизнь. Она считает, что ее жизнь с появлением заболевания закончилась. Но понятно, что это не более чем ее идея. В мире живут несколько десятков миллионов людей, больных сахарным диабетом, и она просто вошла в их число.

Как видим, в этом случае, не имея возможности разрушить идею о тотальной независимости вовне человека, Высшие силы использовали заболевание. Нечасто, но так бывает.

Идеализация общественного мнения. На ваше здоровье может повлиять боязнь стать предметом пересудов окружающих. Например, вы хотели бы для поддержания здоровья бегать по утрам (или вечерам), но считаете, что в вашем возрасте это уже неудобно. Пусть бегают молодые, а вы смирно посидите на скамеечке. Хотя молодые как раз бегают мало — им это не нужно, у них здоровья и так хватает. Побегать нужно было бы вам, но боязнь того, что люди что-то о вас скажут, мешает вам заняться нужным и важным для вас делом. В итоге вы приносите свое здоровье в жертву общественному мнению.

Гордыня. Гордыня разрушается путем унижения человека. Например, попытка изнасилования женщины очень часто имеет такие корни. У мужчин гордыня разрушается тем, что им без видимой причины достается по физиономии или приходится испытывать еще какие-то унижения.

Иногда Высшие силы используют для этой цели заболевания. Но заболевания всегда выбираются такие, которые относятся к категории позорных, о которых стыдно рассказывать не только знакомым, но и врачам. Такие заболевания встречаются редко и обычно имеют сложные медицинские названия. Но они почти всегда указывают на наличие гордыни у больного.

Скорость «воспитания». В предыдущих книгах мы уже указывали, что скорость наступления «воспитательных» процессов зависит от уровня заполнения «сосуда кармы». Чем меньше в «сосуде», тем быстрее и жестче Высшие силы исправляют наши ошибки. «С любимого дитяти спрос строже» — эта зависимость наблюдается, к сожалению, очень явно.

Если у человека в «сосуде» около 60–70 %, то «воспитание» за конкретную ошибку, в том числе через болезнь, может наступить не очень быстро, через несколько месяцев или даже лет. Если же в «сосуде» 10–15 %, то «воспитательный» процесс наступает в течение нескольких часов или дней. И иногда он, к сожалению, принимает форму заболевания. При таком малом заполнении «сосуда» даже выражение постоянной озабоченности на лице воспринимается Высшими силами как недовольство жизнью (идеализация жизни). Вы можете не переживать по поводу своих дел, но если вы постоянно озабочены чем-то и не радуетесь жизни, если улыбка нечасто появляется у вас на лице — это может привести к довольно жестким «воспитательным» процессам, в том числе в виде тяжелого заболевания. Избавившись от него, вы начнете радоваться каждой текущей минуте жизни, невзирая на количество нерешенных проблем (так реализуется «ежик событий» в реальности). Так что лучше не дожидаться этих напоминаний и начинать радоваться жизни уже сейчас. Или не чистить свой сосуд до такого низкого уровня — если помните, мы рекомендуем останавливать чистку на уровне 40–50 % [1, 4, 7].

Однозначной связи нет. Наверное, можно привести еще несколько примеров того, как с появлением заболевания у человека разрушается та или иная идеализация. Однозначной зависимости типа: «идеализация — конкретное заболевание», видимо, не существует. В каждом конкретном случае Высшие силы подбирают то заболевание, которое наилучшим образом сможет разрушить конкретную идеализацию. Или даже набор идеализаций, поскольку они редко живут поодиночке.

Поэтому, прежде чем начинать лечиться, следует задуматься о том, не имеет ли ваше заболевание «воспитательные» корни. И если имеет, то нужно побыстрее пересмотреть свои взгляды на очень значимые для вас идеи, вызывающие длительные переживания. А иначе никакие усилия медиков вам не помогут.

Пожалуй, теперь настало время подвести итоги этой большой главы.

Итоги

1. Наши негативные ментальные установки могут вызвать заболевание физического тела.

2. Один из путей воздействия негативных установок на физический план — через накопление негативных эмоций. Другой путь — непосредственное воздействие мысли на физическое тело.

3. Первый возможный путь создания у себя заболеваний — ситуация, когда наше тело реализует те негативные программы, которые мы получили от окружающих людей, из средств массовой информации и из любых других источников.

4. Второй путь — когда мы сами «заказываем» себе заболевание, поскольку оно зачем-то нужно нам.

5. Третий путь влияния ментала на наше здоровье — это ситуация, когда Высшие силы применяют заболевания для разрушения наших избыточно значимых идей.

6. Не выявлено однозначной связи между идеализацией и конкретным заболеванием. Похоже, что Высшие силы используют те заболевания, которые наилучшим образом сумеют разрушить наши идеализации.

Зрелая карма — тоже не подарок

До сих пор мы рассматривали только те заболевания, которые человек создает себе уже в этой жизни, родившись здоровым ребенком. Сюда относятся заболевания, являющиеся следствием так называемой наработанной кармы, то есть появившиеся вследствие накопления внутренних претензий к миру уже в сознательном возрасте. Понятно, что это заболевания, корни которых лежат в эмоциональном и ментальном телах. Кроме них сюда же относятся заболевания, вызванные неправильной «амортизацией» (то есть использованием) нашего физического и энергетического тела. Конечно, эти заболевания тоже являются следствием каких-то заморочек и негативных установок в голове, но к прошлым жизням это отношения не имеет.

Не все здоровы от рождения. А сейчас мы хотели бы поговорить о другом. К сожалению, далеко не все дети рождаются здоровыми. Иногда болезнь младенца является следствием неправильных действий медицинского персонала при родах. Иногда следствием избыточных переживаний или неправильного поведения матери при беременности. А иногда все вроде бы было в порядке, а все равно ребенок рождается больным, физически или психически. Почему так происходит?

Здесь приходится вспоминать о таком понятии, как «зрелая карма». Оно отражает идею многих восточных учений о том, что все проступки, совершенные человеком в текущей жизни, учитываются. И если человек не исправил их в этой жизни, то это будет проявлено в условиях его рождения в следующей инкарнации.

Под «проступками» мы понимаем прежде всего переполнение «сосуда кармы» негативными переживаниями. Если человек умирает с переполненным «сосудом», то его душа попадает на самые нижние этажи астрала и оттуда же придет в наш мир в следующей жизни. Естественно, обитатели нижнего астрала вовсе не заинтересованы, чтобы этот человек радовался в земной жизни — им энергии радости вовсе ни к чему. Им нужны разного рода негативные эмоции, поэтому они стараются обеспечить своему «кормильцу» такие условия рождения, чтобы у него не было оснований для радости. Ему подбирается нервная мать, испытывающая массу переживаний во время беременности. Роды у такого младенца будут принимать врачи, которые сделают несколько ошибок, и так далее. Поэтому от рождения у него будут присутствовать заболевания разной сложности — в зависимости от уровня накопленных ранее грехов. Скорее всего он родится в семье с низким уровнем дохода и с высоким уровнем конфликтов, в неполной семье и т. д. В итоге *такому человеку будут созданы все условия, чтобы он нечаянно не начал чему-то радоваться*. Он должен испытывать страдания и вытекающие из них нерадостные эмоции, и его покровители из Тонкого мира постараются сделать все, чтобы его жизнь была именно такой.

Таким образом, можно констатировать, что врожденные заболевания являются признаком большой «зрелой кармы».

Работа над собой не отменяется. Нужно сказать, что наличие врожденных заболеваний не отменяет тех задач, которые ставятся перед душой любого человека, которая воплощается в нашем мире. Если помните, раньше мы выделили четыре вида кармических задач, которые должна решить любая душа, пришедшая в наш мир:

• жить и радоваться жизни, не накапливать новых грехов;
• исполнить свое предназначение;
• избавиться от кармических проблем;
• избавиться от кармических узлов [1, 4, 7].

Понятно, что больному человеку сложнее выполнить эти требования, чем здоровому. Но что поделаешь, нам воздается по делам нашим. То есть сколько нагрешил, столько и исправлять придется. От больного человека потребуется гораздо больше усилий, чтобы выполнить эти требования, их никто не отменяет.

Никто не хочет болеть. Правда, от понимания того, что причины заболеваний лежат в неизвестном нам прошлом, жизнь человека не становится легче. Он не хочет страдать и не понимает, за что он должен мучиться, когда другие люди рождаются здоровыми и не испытывают подобных лишений. За что ему все это выпало, он не знает — для нас закрыта информация о наших прошлых жизнях. Он пробует применять разные лекарства или приборы, обращается к целителям, но эффект обычно невелик.

Иногда человек в такой ситуации психологически ломается, озлобляется на весь мир. Понятно, что таким образом он накапливает еще больше негативных переживаний, и его следующее воплощение будет еще худшим (если есть куда). Он был и остался энергетическим «кормильцем» сущностей нижнего астрала (бесы в христианстве), и они очень довольны его поведением.

Иногда, если врожденные заболевания не очень сильны, их удается подлечить (перевести из острой формы в хроническую) или даже полностью избавиться от них какими-то способами. Но так бывает редко. Обычно с врожденными заболеваниями люди мучаются всю жизнь.

Таким образом, можно констатировать, что причина врожденного заболевания может лежать не в физическом, энергетическом, эмоциональном или ментальном теле, а в другом, более тонком теле. Том самом, которое составляет нашу бессмертную душу и переходит из тела в тело в цепи наших инкарнаций.

Конечно, эти заболевания пробуют лечить всеми известными способами, воздействуя на физическое или энергетическое тело, занимаясь техниками прощения или повторяя положительные аффирмации. Но, как мы уже знаем, если причина заболевания лежит выше, то все эти процедуры в большинстве случаев могут дать лишь временный эффект. Хотя случаи чудесного исцеления от самых тяжелых заболеваний и бывают, но они, к сожалению, носят единичный характер.

Как же быть. Как же быть людям, имеющим какие-то заболевания от рождения? Ведь они тоже читают разные книжки и тоже хотели бы радоваться жизни, невзирая на все проблемы.

Нужно сказать, что иногда это получается. Человек принимает свою болезнь как некую данность, привыкает к ней и перестает уделять ей большое внимание. Так получается только в том случае, когда *человек находит себе интересное занятие, занимающее все его время и внимание,* — на болезнь просто не остается времени. Занятие может быть любым, лишь бы оно требовало много времени и полной сосредоточенности на нем.

Другой путь — перекодирование принесенной душой информации — мы будем рассматривать позже.

Боли непонятного происхождения, фобии. Но это еще не все со зрелой кармой. Иногда проблемы из прошлых жизней проявляются не с момента рождения, а в *более взрослом возрасте*. То есть у вполне взрослого человека появляются какие-то боли непонятного происхождения в позвоночнике или других органах.

Естественно, что причиной может быть все то, что мы рассматривали в предыдущих главах книги. Но иногда все попытки избавиться от заболевания (или просто болей непонятного происхождения, слабости) не приносят успеха. **Заболевание может прогрессировать, вплоть до инвалидности. И лишь в ходе реинкарнационной терапии выясняется, что именно в этом возрасте в прошлой жизни человека имели место какие-то трагические события (обычно это насильственная смерть).**

Пример. Лариса, врач-терапевт, с 24 лет страдает заболеванием позвоночника, никакие способы лечения не помогли, так что в 35 лет она получила инвалидность.

Во время реинкарнационной медитации она увидела себя воином, которого в рукопашном бою поразили мечом в спину, и он умер. Это произошло с ним как раз в возрасте 24 лет. После перекодирования этой информации боли отступили, и традиционное лечение стало давать хорошие результаты.

Сюда же относятся различного рода *фобии*, которые не имеют видимых причин в этой жизни (испугов, травм). Некоторые люди страдают необъяснимой боязнью высоты, темноты, замкнутых помещений, одиночества и так далее. Причем никаких реальных оснований для этих страхов нет — они никогда не тонули, не падали с высоты, их не запирали в темном чулане и так далее. Причин нет, а фобия есть. Конечно, фобии не так отравляют жизнь, как радикулит или сердечная недостаточность, но все же это есть отклонение от нормы и от него хотелось бы избавиться.

Поэтому можно констатировать, что еще одной возможной причиной возникновения заболевания может быть та информация, которую принесла наша бессмертная душа из неведомого нам прошлого. С этим можно работать, хотя и не так успешно и однозначно, как с заболеваниями, корни которых лежат в других тонких телах человека.

А теперь нам пора подвести последние в этой главе итоги.

Итоги

1. Часть людей имеют врожденные заболевания. С эзотерической точки зрения души этих людей накопили большой груз «зрелой кармы» в прошлых жизнях и в этой жизни им созданы предпосылки для того, чтобы они не смогли порадоваться своей жизни.

2. Наличие врожденного заболевания не отменяет основную кармическую задачу, которая ставится перед каждым человеком: заниматься своим духовным развитием и радоваться той жизни, которую он имеет.

3. Иногда с помощью лечебных процедур можно уменьшить остроту врожденного заболевания или даже совсем избавиться от него. Но чаще эти заболевания остаются на всю жизнь.

4. Имеющиеся от рождения фобии (страхи) неизвестного происхождения имеют обычно причину, лежащую в прошлых жизнях.

5. Иногда у людей во вполне взрослом возрасте появляются заболевания либо боли непонятного происхождения, также имеющие причину в прошлых жизнях. Для избавления от них нужно использовать методы реинкарнационной терапии.

Глава 2

Универсальный алгоритм излечения

> Происходит какое-то постоянное разглядывание и изучение болезней на человеке. Конгрессы и конгрессы по болезням. Все новые и новые лекарства — все новые и новые болезни, и этому, очевидно, никогда не будет конца, если мы не изменим поток нашего сознания...
>
> *Порфирий Иванов*

Теперь, когда мы знаем большинство причин, из-за которых могут возникать заболевания, хочется от них избавиться. И, понятно, побыстрее. Но это только на первый взгляд.

Поэтому давайте будем честными сами с собой и подумаем — а действительно ли мы хотим быть здоровыми?

Зачем вам нужно здоровье?

Многие люди посвящают массу времени и сил борьбе за здоровье. А задумывались ли вы над тем, что произойдет, если эта цель неожиданно будет достигнута? Здесь все очень непросто.

Представим себя здоровыми — какой ужас! Представьте себе, что вы неожиданно полностью выздоровели, стали абсолютно здоровым человеком. Что изменится от этого в вашей жизни? Чем вы станете заниматься? Действительно ли вам это нужно, или вы просто фантазируете (буду ходить на лыжах, буду делать зарядку, пойду в поход)? Что вам мешает все это делать прямо сейчас? Скорее всего ничего. Более того, вместе со здоровьем вам придется многое менять в устоявшемся ритме жизни, менять привычки, брать на себя новые обязательства и так далее. А кому этого хочется?

Так что *далеко не все люди действительно хотят быть здоровыми*, даже если они прилагают массу усилий в борьбе со своими заболеваниями.

Что же может вызвать ваше скрытое нежелание быть совсем здоровым? Таких оснований может быть множество. Часть из них мы рассматривали ранее, здесь попробуем еще раз перечислить их.

Вам дадут дополнительную нагрузку. Если сегодня вы чем-то больны, то к вам относятся бережно и не загружают вас на полную катушку. А что будет, если завтра вы станете абсолютно здоровым человеком? Ваш начальник на работе может дать вам новые задания, начать посылать в командировки. В общем, он с огромным энтузиазмом начнет отравлять вам устоявшуюся жизнь. А зачем вам это нужно? Вы привыкли к своему ритму жизни, ваша мигрень (радикулит, давление, желудок) является достаточным основанием для того, чтобы отказываться от неприятных вам занятий. И вам вовсе не хочется менять свою жизнь только ради того, чтобы ваша болячка прошла окончательно.

Дома ваши близкие тоже могут обрадоваться вашему здоровью и станут активно нагружать вас походами на рынок за картошкой, уборкой квартиры или дома, сельхозработами на даче и так далее. И у вас не будет оснований, чтобы отказаться от их просьб или требований. Так зачем вам нужно это здоровье, если вместе с ним вы получите целую кучу дополнительных хлопот?

Нужно будет выполнять неприятное. Еще один неприятный результат выздоровления — у вас исчезнут основания не выполнять то, чего вам исполнять не хочется. Вы хотите избежать встречи или близости с неприятным вам человеком — болезнь дает вам полные основания послать его подальше. А как сделать это, будучи здоровым, вы не представляете, особенно при наличии идеализации отношений или общественного мнения. И подобных вариантов, когда у вас не будет оснований отказаться от неприятного для вас дела, может быть множество. В общем, выздоравливать вам ни к чему, пока вы не найдете другого выхода из неприятной для вас ситуации.

Померкнет ваш светлый образ. Еще одна причина цепляться за свое заболевание — скрытое опасение того, что, став здоровым, вы не станете выполнять какие-то внутренние обязательства.

Например, вы очень хотите совершать ежедневные пробежки, ходить в лес в походы, зимой бегать на лыжах. Вы искренне хотите это делать, но не делаете, потому что у вас давление, одышка, боли в спине или ногах и т. д. Вы даете себе обязательство, что с завтрашнего дня (следующего выходного, следующего отпуска) вы обязательно начнете все это делать. Но не делаете, потому что у вас есть объективные препятствия, мешающие выполнить желанные планы, — это ваши болячки.

И вдруг случится чудо, и завтра у вас этих болячек не будет! Что тогда, вы действительно встанете на лыжи или побежите мелкой трусцой? Вряд ли. Лень, привычка долго спать, хорошо кушать и смотреть все программы по телевизору помешают вам выполнить свои обязательства. И никаких объективных причин вроде болезни, чтобы обосновать свою бездеятельность, у вас не будет. В итоге вам *станет стыдно перед самим собой*, что вы оказались таким слабаком, хлюпиком и слабовольным лентяем. Поэтому лучше оставить себе про запас пару болячек и со спокойной совестью продолжать подолгу спать, хорошо кушать и смотреть телевизор.

Исчезнет инструмент для манипуляции. Некоторые люди активно используют свои болезни как инструмент для манипуляции окружающими. Способов манипуляции может быть множество. Можно прямо обвинять окружающих: «Это из-за вас у меня высокое давление! Это вы довели меня до болезни!» Можно угрожать родным, что с вами что-то случится, если они не выполнят ваши требования (прийти вовремя, не ходить куда-то, не общаться с каким-то неприятным вам человеком и т. д.). В подтверждение можно будет разок вызвать у себя обострение болезни, тогда они точно будут вести себя как шелковые, боясь вызвать ухудшение вашего состояния. А можно просто тихо страдать, но иметь на лице соответствующее выражение, чтобы окружающие чувствовали себя неловко из-за того, что они не мучаются так, как вы. В общем, вы заставляете окружающих испытывать чувство вины и с его помощью манипулируете ими.

А теперь представьте, что завтра вы полностью выздоровели. Ваши родственники вздохнули с облегчением и галопом умчались решать свои дела, совершенно не считаясь с вами. Понравится вам это? Вряд ли. Лучше уж быть больным, зато иметь инструмент для контроля и претворения в жизнь своих идей.

Теряется смысл существования. Об этом мы уже говорили. Человеку нужна цель, какая-то деятельность, он не может существовать без этого. Если вы материально обеспечены (квартира, пенсия или помощь детей), то у вас может исчезнуть стимул жить. Обычно, конечно, что-то находится — воспитание внуков, дача или приусадебный участок и т. д. Если же вы живете в городе, у вас нет дачи, а внуки выросли, то вы становитесь совершенно бесполезны. Жизнь теряет смысл, и вы судорожно ищете, чем бы заняться. Тут организм приходит вам на помощь и подкидывает долговременное занятие — ... а здоровье. У вас что-то заболевает, и вы с а... ключаетесь в борьбу со своим больным телом ..., что *спешить здесь ни к чему*. Нужно т... изучить свою болезнь — для этого требу... очисленные походы по врачам, целителям ..., изучение способов самолечения и т. д. Н... робовать все способы излечения, сравнить и... собой и *признать их полную неэффективно... шем случае*. После этого снова нужно тщатель... ить ваше заболевание и т. д. И нужно вам выз... ать при таком интересном процессе? Да ни в к... нае! Эта же ситуация иногда имеет место в се... е жена много лет сидит дома и ей совершенно ... заняться. Традиционное занятие в этих случа... *орьба с лишними килограммами*. Лишний вес, ... нечно, не болезнь, но времени и сил занимает ... раз побольше, чем заболевание. Главное в этом занимательном деле — сам *процесс борьбы с лишним весом*, а не результат. Именно поэтому он часто растягивается на годы и оставляет возможность заниматься этим увлекательным делом много-много лет. Пока не надоест.

С точки зрения методики Разумного пути затяжное недовольство своей внешностью есть идеализация красоты и привлекательности. Кроме того, в процессе борьбы с лишним весом обычно возникает идеализация цели. Обе они успешно блокируются с тем, чтобы вы научились со спокойствием относиться к любой реальности. Пока этого нет, не будет и устойчивого результата в борьбе с лишними килограммами.

Исчезнут основания для самоуважения. Еще одна причина, по которой человек может долго болеть, — это желание быть в центре внимания, на виду, пусть даже если для этого придется терпеть сильную боль. Вы были известным человеком, вас всегда окружали люди, которые высказывали вам свое уважение, вы были в центре внимания. Потом в силу каких-то обстоятельств это исчезло. Вам хочется вернуться в это прежнее состояние, и ваш организм приходит вам на помощь. У вас развивается сложное или редкое заболевание, которое привлекает к вам внимание множества людей. У вас есть основания ездить по разным клиникам, встречаться с самыми известными специалистами и потом с гордостью рассказывать знакомым, что вам профессор X не помог, профессор Y тоже сплоховал, теперь вся надежда на профессора Z. Понятно, что и Z здесь окажется совершенно бессилен.

Это похоже на поиск смысла существования, но все происходит более масштабно, с привлечением большого числа людей, в том числе очень известных. Нужно сказать, что немало больных с удовольствием играют в игру под названием «А ну-ка, попробуй вылечить меня!» и с успехом выигрывают у врачей или целителей.

Подумайте, стоит ли выздоравливать. Так что становиться здоровыми многим людям совсем ни к чему. Лучше оставить все, как есть. Вы уже привыкли к нынешнему состоянию, знаете, как вести себя при обострениях. Вы сжились со своей болезнью, она стала частью вашей жизни. И вам не хочется ничего менять, поскольку неизвестно, что там ждет нас в будущем с этим непонятным здоровьем.

Если это так, то вам вряд ли есть смысл читать дальше эту книгу. Наслаждайтесь жизнью, в которой есть такое событие, как ваша болезнь. Вы понимаете, что она зачем-то вам нужна, и вы благодарите ее за это. Вы научились радоваться жизни, невзирая на наличие у вас болячек разной сложности.

Если же вы все-таки настаиваете на том, что хотите быть здоровым, невзирая на все вытекающие из этого хлопоты, то вам есть смысл перейти к следующей главе книги. А нам пора подвести итоги того, что уже пройдено.

Итоги

1. Почти все люди стремятся к здоровью. Но далеко не все представляют себе, что произойдет, если они неожиданно выздоровеют. Их жизнь может стать значительно менее комфортной, нежели сегодня, пусть даже с болезнью.

2. Став здоровым, вы можете получить много новых нагрузок, которых вы избегаете из-за болезни. У вас не будет оснований отказываться от неприятных вам встреч и других обязанностей.

3. Став здоровым, вам придется выполнять те обещания, которые вы раньше давали себе. Поскольку вы их все равно не выполните, то вам станет стыдно за самого себя, а это неприятно.

4. Став здоровым, вы не сможете заставлять окружающих испытывать чувство вины и тем самым манипулировать ими.

5. Для некоторых людей борьба за здоровье является единственной жизненной целью, поэтому выздоровление для них будет означать, что их жизнь потеряла всякий смысл.

6. Таким образом, далеко не всем людям в действительности нужно быть здоровыми, и это нужно ясно осознавать, чтобы не тратить лишних сил и денег на бесполезную борьбу с болезнями, которые им очень нужны.

Время или деньги?

Теперь, когда вы окончательно определились со своими целями, давайте порассуждаем, чего же вы хотите в действительности.

Понятно, что вы хотите быть здоровым человеком. Но вот насколько сильно вы этого хотите и что вы для этого готовы сделать? Готовы ли вы ради здоровья оторвать свою пятую точку от стула (кресла, дивана) и совершить какие-то действия, пусть даже самые простые? Или ваше желание не простирается дальше, чем готовность открыть кошелек и приобрести очередную порцию лекарств, и ничего больше не менять в своей жизни? Понятно, что большинство людей делают второй выбор.

Это ни хорошо, ни плохо, а всего лишь *отражение того, насколько мы ценим свое здоровье*. Здоровье — это бесплатный ресурс, который дает нам Жизнь. А то, что дается бесплатно, людьми не ценится — это хорошо известно. Может быть, именно поэтому сейчас рождается так много больных детей — чтобы они с детства учились ценить такой дар, как здоровье.

В общем, большинство людей предпочитает покупать здоровье за деньги, и желательно подешевле. А за что платить, если другим это же самое на халяву достается?

Это, конечно, шутка. Но она отражает наше отношение к здоровью: *нам хотелось бы иметь его всегда, ничего не делая для его сохранения*. В крайнем случае мы готовы заплатить, лишь бы вернуть его побыстрее.

Между тем человечество уже наработало массу всевозможных методик и оздоровительных систем, которые позволяют жить до глубокой старости без болезней. Но этим пользуются буквально единицы. И то чаще всего после того, как их скрутило сильное заболевание и они вынуждены были выкарабкиваться из него своими силами.

Два подхода. Можно сказать, что существуют два принципиально различных подхода к сохранению или восстановлению здоровья.

Лечите меня. В первом случае человек считает, что *здоровье должен дать ему кто-то со стороны* — врач, целитель, чудодейственные препараты или приборы. Он в этом процессе участвует мало — разве что глотает таблетки или перемещает свое тело на разного рода оздоровительные процедуры. Он считает, что от него мало что зависит, *все зависит только от специалистов*, которые должны вернуть ему здоровье.

Именно таково отношение большинства людей к медицине: «Я пришел на прием к врачу, и врач обязан меня вылечить! А если он меня не вылечит, я напишу на него жалобу. И пойду к другому врачу, уж он-то точно вылечит!»

К плюсам этого подхода можно отнести возможность стать здоровым с *минимальными затратами времени и усилий* (конечно, если вам повезет и у вас болит именно то, от чего будет лечить вас врач). Этот подход хорошо срабатывает, если *причина заболевания лежит в физическом или энергетическом теле* — именно они поддаются воздействию лекарств или лечебных процедур. Если же причина болезни лежит в сфере эмоций или в ментале, то подобное лечение растягивается на многие годы, и вместо желанного быстрого результата мы получаем огромные траты сил, денег и здоровья.

Я выздоравливаю сам. При втором подходе человек считает, что *здоровье зависит только от него*. Он сам выполняет процедуры или упражнения, и здоровье возвращается к нему. Так работают восточные оздоровительные методики (йога, цигун), система «Детка» П. Иванова, методика М. Норбекова и некоторые другие. Никаких лекарств, никаких внешних воздействий со стороны врачей или целителей — твое здоровье в твоих руках, и ни в чьих больше!

Подобный подход, если уделять ему достаточное количество времени, может дать полноценное здоровье. Но мы не зря сделали оговорку — «если». Он всегда требует больших затрат времени и сил, иногда даже всю жизнь и свое мировоззрение нужно подстраивать под эту оздоровительную систему. Но люди — существа независимые и не хотят строить свою жизнь по чужим правилам, даже ради здоровья. Да и лень-матушка мешает напрягаться каждый день.

В общем, этот подход хорош, но совсем для немногих людей — настойчивых, волевых, имеющих массу свободного времени, которое они не могут употребить лучшим образом, нежели как на оздоровительные процедуры.

Существует, конечно, масса промежуточных систем, учитывающих достоинства и недостатки обоих подходов. Немного попрыгал, проглотил пару капсул с исцеляющим снадобьем и вроде как выздоровел. Обычно до тех пор, пока действие капсулы не прошло. Но об этом мы еще поговорим.

Мы будем рассматривать оздоровительные системы, опирающиеся на оба подхода, и вы вольны выбрать себе любой. Просто нужно учитывать, что в случае неправильного выбора средства или способа лечения затраты времени, сил и денег при первом подходе значительно превысят затраты времени и сил на оздоровительные процедуры второго подхода. Не говоря уже о явной экономии средств, поскольку при использовании оздоровительных систем никаких денег обычно тратить не нужно. Или нужно (на специальную одежду или оплату семинаров), но не в таких больших количествах. Так что думайте.

А мы тем временем подведем очередные итоги.

Итоги

1. Здоровье — это тот дар, который дается нам при рождении совершенно бесплатно, и поэтому мы не привыкли ценить его.

2. Существуют два принципиально различных подхода к восстановлению здоровья. При первом подходе человек считает, что от него мало что зависит. Он надеется, что здоровье ему вернут врачи или целители, а он всего лишь предоставляет им свое тело для излечения. Этот подход хорошо срабатывает, если источник заболевания лежит в физическом и эфирном теле.

3. При втором подходе человек считает, что здоровье зависит только от него самого. Он начинает работать над своим телом и духом и тем самым восстанавливает себе здоровье.

4. Второй подход обычно гарантирует возврат здоровья, но он требует значительно больше времени и усилий.

Все так просто

Эта часть книги называется «Универсальный алгоритм излечения», а разговоры в ней ведутся самые странные — нужно ли нам быть здоровыми или что нам дороже: время или деньги? Казалось бы, какое все это имеет отношение к алгоритму излечения? Если такой алгоритм существует, то дайте его нам, и побыстрее! Чтобы быстро-быстро прошли все наши болячки. И мы смело могли бы начать зарабатывать новые.

Так, или примерно так мыслят люди, изучая новое лекарство, медицинский прибор или оздоровительную систему. Всем хочется быть здоровыми, и побыстрее. Не хочется тратить время и деньги на лишние процедуры. Но существует ли вообще такой способ или прибор, который мог бы излечить любое заболевание?

Существует ли универсальное лекарство? Нужно сказать, что подобная идея совсем не нова. Еще в средние века ученые-алхимики напряженно искали универсальное лекарство от всех болезней. Это лекарство называлось «панацея».

Понятно, что алхимикам не повезло. Но когда мы читаем рекламные проспекты современных приборов квантовой терапии или очередного набора биологических активных добавок, то создается полное впечатление, что панацея наконец-то найдена! Так убедительно разработчики описывают достоинства своих изобретений, что поневоле возникает уверенность, что эти приборы или снадобья могут излечить все! Такие вот они универсальные.

Понятно, что это небольшое преувеличение. Панацеи нет и вряд ли она когда-нибудь появится. Мы уже рассматривали, как много существует причин, по которым у человека могут возникнуть заболевания. Разве при таком разнообразии причин может возникнуть какое-то одно средство или прибор, которые устранят все это? Очень маловероятно.

Современная наука дошла до уровня энергоинформационного программирования клеток. На клетки больного органа воздействуют разного рода электромагнитными или чисто информационными излучателями, в которых записан спектр излучений здоровой клетки. В итоге клетки больного органа принудительно выздоравливают. Но это работа на уровне энергетического тела! Это тело под воздействием внешних излучателей действительно можно сделать здоровым.

Но если причиной заболевания являются хроническое переедание (или недоедание) и отсутствие физических нагрузок, либо она лежит в сфере ментала или в эмоциональной сфере, то заболевание неминуемо возвратится! Возвратится, как только мы перестанем воздействовать на клетки организма этими излучателями. Естественно, что разработчики новых приборов вряд ли признают эту несложную мысль — они уверены, что придумали очередную панацею! Но к этой теме мы еще вернемся.

Будем тотально здоровы. Если же вернуться к теме наших рассуждений — как найти алгоритм быстрого излечения именно вашего заболевания, где бы ни лежали его корни, то здесь все очень просто. Этот алгоритм известен всем. В том числе вам, но вы не хотите себе в этом признаваться.

Чтобы понять это, вернемся к нашему определению здоровья. Здоровым мы называем человека, у которого здоровы все его тела — физическое, энергетическое, эмоциональное, ментальное и кармическое. Корень вашего заболевания лежит в одном из этих тел, и вы не знаете, в каком. Скорее всего сразу в нескольких, поскольку редко можно найти человека, имеющего только одно отклонение от здорового состояния. А ведь здоровыми должны быть все наши тела! Значит, *нужно оздоравливать их все!* Тотально, параллельно или вместе, все равно. Именно в этом и состоит алгоритм излечения вашего заболевания. Не какое-то конкретное лекарство от печени, радикулита или повышенного давления, а *тотально здоровое состояние всех составляющих вашего организма.* Поскольку боли или больной орган чаще всего являются лишь следствием каких-то нарушений в вашем организме. Об этом нередко можно услышать от специалистов по восточной медицине.

Все не так просто. Например, если у вас повышенное давление, то специалисты по восточной медицине не предложат вам бороться именно с давлением, а порекомендуют начать заниматься почками, поскольку именно их неправильная работа приводит к нарушению давления. Собственно, можно остановиться на этом уровне рассуждений и начать работать с почками.

Но почему именно с ними? Ведь неправильная работа почек тоже возникла не так просто. Почки отвечают за энергетику нашего организма. Значит, у вас ослаблена энергетика, то есть вы недостаточно подпитываете свое энергетическое тело или отдаете слишком много энергии окружающим людям. А это уже проблема вашего ментала. Так что же нужно лечить, ваши почки или ваши неправильные убеждения? Или просто заняться энергетическими зарядками, и все восстановится само собой, какие бы убеждения вы ни имели?

Остановиться можно на любом этапе — можно принудительно понижать давление лекарствами или начать работать с почками, можно подзаряжаться энергетически или начать искать, какие ваши внутренние установки привели к нарушению энергетики. Поможет любой подход, просто при использовании лекарств вам придется принимать их каждый день. При работе с почками эффект будет длиться несколько месяцев. Если вы станете регулярно выполнять энергетические практики, то все будет в порядке в течение выполнения этих практик. Если же вы выявите свои ошибочные установки и откажетесь от них, то эффект будет более длительным — до тех пор, пока у вас не появится новая ошибочная установка.

Опять голова. Собственно, мы опять приходим к мысли, что *во всем виновата наша голова, то есть существующие там идеи и установки относительно нашего тела, его возможностей и нашего отношения к нему.* Это не значит, что мы призываем отказаться от медицины и заниматься только своими мыслями. Для многих людей это просто невозможно по ряду самых разных причин. Поэтому искать причины заболеваний в сфере ментала нужно, но не стоит преувеличивать наши способности их там найти.

Отсюда вытекает совсем простой вывод: *работать нужно сразу со всеми нашими телами*, и тогда такая тотальная чистка даст неминуемый эффект. Естественно, положительный.

Собственно, в этом и состоит универсальный алгоритм излечения. Мы начинаем заниматься нашим физическим телом, одновременно подпитываем энергетическое тело и перекрываем пути избыточного оттока жизненных сил, избавляемся от отрицательных эмоций с помощью любых доступных нам техник и параллельно просматриваем, какие ошибочные убеждения приводят к возникновению переживаний и проблемам со здоровьем. При таком тотальном подходе упущение в одном плане (физическом, эмоциональном и пр.) все равно перекроется улучшением состояния по другим планам. И организм все равно выздоровеет и помолодеет.

При этом можно пользоваться всеми теми достижениями, которые разработала древняя и современная медицина, наука и системы оздоровления. В следующей главе книги мы рассмотрим некоторые из них и выскажем свои соображения, в каком случае их целесообразнее использовать.

Болезнь дается не просто так. Человек должен рождаться и жить здоровым, его предназначение — радоваться жизни и тем самым выражать благодарность Творцу за тот прекрасный мир, который он создал. Но жить так получается совсем у немногих.

Ребенок беспричинно радуется жизни и выполняет свое предназначение. Но, став взрослым и осознав правила, по которым живут люди, он перестает радоваться жизни — для этого ему обычно чего-то не хватает (денег, любимого человека, квартиры, работы, признания и т. д. и т. п.). Беспричинно радуются жизни только те, кого принято считать блаженными (то есть слабоумными). А действительно, чего это он радуется, когда все только и делают, что переживают? Его нужно полечить, чтобы он стал, как все (то есть озабоченным какой-то проблемой).

На самом деле, как вы уже знаете, любое наше переживание есть свидетельство того, что мы не принимаем этот мир таким, каков он есть. Мы согласны радоваться только тогда, когда в мире что-то изменится: появится любимый или квартира, муж начнет зарабатывать деньги или перестанет изменять и т. д. Мы считаем, что пока это не произошло, у нас нет оснований для радости, мы чем-то недовольны. Но, если помните, с точки зрения Высших сил любое наше недовольство есть грех, и они вынуждены применять специальные «воспитательные» процессы, чтобы разрушить эти самые наши идеи о том, что и как здесь должно происходить. То есть *они занимаются нашим духовным воспитанием, исправляя наше неправильное отношение к жизни.* И иногда используют для этих целей заболевание, от которого мы стремимся избавиться любой ценой, не задумываясь об источнике его происхождения.

Так что скорее всего *болезнь тоже дается нам в качестве очередного урока на пути нашего духовного развития.* Получается, что болезни, по задумке Творца, *должны способствовать нашему духовному развитию.* А мы по ним — таблетками или новейшим прибором — бац! И капут всему нашему духовному воспитанию.

Точнее, не капут, поскольку наши ошибочные убеждения остались с нами, и Высшим силам придется придумывать какой-то иной способ, чтобы ткнуть нас носом в них. Возможно, они придумают нам какие-то новые проблемы в жизни — не зря же некоторые целители говорят, что, изгнав принудительно болезнь, можно привлечь к себе (но не к другим!) иные неприятности или несчастья. Возможно, что кармический «воспитательный» процесс будет перенесен в следующую жизнь, поскольку в этой жизни мы с помощью науки или сильных целителей научились избавляться от заболеваний, и у Высших сил почти не осталось инструментов для исправления наших ошибочных убеждений. Чтобы не затягивать этот процесс, возможно, им даже придется изъять душу сравнительно молодого и здорового человека из его тела, хотя его «сосуд кармы» может быть не переполнен. Очень может быть, что именно этим объясняется иногда ранняя смерть сравнительно молодых, здоровых и вполне успешных людей.

Не спешите излечиться. В общем, лечиться надо, но и о душе тоже не нужно забывать. *Любое заболевание нужно рассматривать как сигнал о том, что мы в чем-то неправильно относимся к миру.* И надо не спешить избавиться от него любыми способами, а для начала усвоить урок, который пытается через это заболевание дать нам учитель под названием Жизнь. Если же мы не рассматриваем свое заболевание как повод для размышлений, а всего лишь как досадную помеху на пути к реализации наших идей, то ситуация может осложняться. Мы не слышим тех сигналов, которые посылает нам Жизнь, и она будет вынуждена усилить свои воздействия.

Поэтому лечиться и стремиться быть здоровым, конечно, нужно. Мы созданы, чтобы жить здоровыми. Но если заболевание появилось, то *нужно задуматься о том, каким образом мы сами создали его в своей жизни.* Чему оно учит, какие наши внутренние запросы удовлетворяет или какой урок нам дает. И одновременно стараться вернуть себе здоровье. Если же уроков не усваивать, то последствия могут быть не очень хорошими.

Проблема массовых целителей. Исходя из заявленных позиций, сразу возникает вопрос: а хорошо ли делают те сильные целители, которые толпами излечивают людей? И как выясняется, лишают их стимула для духовного саморазвития.

Ответ здесь очевиден. Если человек является просто объектом, над которым целитель производит свои энергетические или иные манипуляции и избавляет его от заболевания, то это скорее всего нехорошо. Поскольку человек лишается необходимости задуматься над тем, *чем и как он сам создал себе это заболевание.* То есть у него отнимется необходимость заниматься духовным развитием, которое откладывается на будущее. Скорее всего такой целитель является проводником интересов тех сил, которые принято относить не к самым светлым, каким бы успешным лекарем он ни был.

Если же больной человек активно участвует в процессе своего исцеления — молится, занимается прощением или осознает свои заблуждения, меняет свое отношение к жизни, свой образ мыслей, то все замечательно. В таком случае целитель является проводником интересов Светлых сил, и он действует с их согласия.

Так что обращаться к целителям можно. Но желательно к таким, у которых вы сами будете активно участвовать в процессе своего выздоровления.

А нам пришла пора подвести итоги этих рассуждений.

Итоги

1. Люди всегда искали и продолжают искать универсальное лекарство, которое бы излечивало все болезни. Скорее всего такого не существует, поскольку имеется невообразимое множество причин, по которым наше тело может заболеть.

2. Можно придумать техническое устройство, и оно будет принудительно поддерживать наш организм

в состоянии, которое мы будем оценивать как здоровое. Но тогда появится зависимость от этого устройства (своего рода костылей), и без него человек уже не сможет существовать.

3. Более правилен естественный путь получения здоровья. Человек становится здоровым, когда здоровы все его тела. Поэтому нужно оздоравливать их все и сразу — таков универсальный алгоритм излечения от любого заболевания.

4. Болезнь часто дается нам в качестве очередного урока на пути нашего духовного развития. Поэтому нужно не только избавляться от нее, но и задумываться над тем, чему она нас учит, как мы сами создали болезнь в своей жизни. Бездумное избавление от болезни блокирует наше духовное развитие.

Глава 3
Работаем с физическим телом

Поскольку мы уже знаем универсальный алгоритм излечения от всех болезней, то нам не остается ничего, кроме как приступить к его реализации. И в итоге стать совершенно здоровенькими, если нам это зачем-то нужно.

Нами манипулируют. Но и здесь не все так просто. Огромное количество книг, журналов, газет, радио- и телепередач ежедневно обрушивает на нас информацию о самых разных способах и средствах оздоровления. Причем информация обычно подается в такой форме, что создается впечатление, что вот она, панацея от вашей болячки! Не успеваете вы купить или применить это средство, как тут же вас соблазняют использовать другое, более эффективное, и так до бесконечности.

Нужно сказать, что в этих предложениях имеются определенные тенденции. Чем более настойчиво нам внушается мысль о том, что только этот способ или это средство решит наши проблемы, тем дороже оно стоит. Никто не будет тратить средства на продвижение дешевых или совсем бесплатных способов оздоровления (вроде голодания или уринотерапии). Новые препараты преподносятся как суперэффективные достижения современной науки, основанные на древних (тибетских, китайских и т. п.) знаниях. Понятно, что нам трудно устоять перед таким психологическим давлением, и мы бежим покупать этот чудо-препарат. На смену которому через полгода приходит новый супер-пупер-препарат, который лечит все те же наши болячки, но уже в два раза лучше! И нам снова нестерпимо хочется купить этот новый продукт рекламных умельцев.

Все это — неприкрытая манипуляция нашим сознанием (внушение ментальной порчи) с целью залезть в наш кошелек. К сожалению, против нее трудно устоять, поскольку составлением рекламных текстов и клипов занимаются профессиональные психологи, хорошо изучившие механизмы скрытого влияния на человека.

Тем не менее, понимая возможные причины появления заболеваний, *можно научиться примерно оценивать, на какие тела человека воздействует* та или иная лечебная или оздоровительная методика или препарат. И осознанно включать (или не включать) это средство в свой арсенал на пути к здоровью (вот, сам использовал расхожее понятие «арсенал», отражающее распространенную идею о том, что за здоровье нужно бороться).

А начнем мы наше рассмотрение с того, что можно пощупать или измерить, то есть с нашего физического тела. Понятно, что предложений по его оздоровлению более чем достаточно. Мы рассмотрим лишь некоторые из них.

Час в день — на здоровье!

Просим не считать приведенное выше название главы тостом и приглашением к выпивке. Просто *мы предлагаем хотя бы один час в день отдавать своему здоровью,* то есть *работе с физическим телом.* В неделю получится всего семь часов, в месяц — тридцать, итого меньше полутора суток. Не так уж много, если вспомнить, сколько времени мы тратим на избавление всего лишь от одного несложного заболевания типа ОРЗ или гриппа. А уж серьезные болезни требуют куда более длительного времени для избавления от них, тут сутками-двумя явно не обойдешься. Так что решайте сами, куда вы будете тратить свое время.

Кому это нужно. Поскольку в этой главе речь пойдет о работе с физическим телом, то все последующие рассуждения и рекомендации относятся к тем людям, работа которых не связана с физическим трудом.

Если вы по роду деятельности занимаетесь физическим трудом (поднимаете или переносите тяжести, прилагаете физические усилия для совершения каких-то операций), то вам вряд ли нужны специальные физические упражнения — их хватает на работе. Они необходимы, если вы совершаете только однообразные действия, например при работе на конвейере. При однообразных операциях работают одни группы мышц и бездействуют другие, так что организм не получает полноценной разминки.

Если же вы по роду деятельности вынуждены мало двигаться и много сидеть (за столом, за компьютером, за рулем автомобиля), то вашему организму обязательно нужна разминка. А иначе с ним будет то, что вы имеете сейчас — слабые мышцы, лишний вес, странная фигура, периодические или хронические заболевания. И если даже по молодости вы всего этого еще не имеете, то со временем наверняка получите — как ваши более старшие коллеги, не уделявшие внимания своему здоровью.

Чтобы не иметь всех этих неприятностей, *обязательно нужно заниматься своим физическим телом*. И для этого нужно усилием воли (эх, где же ее взять, когда дела одолевают!) выделить для себя, любимого, хотя бы час в день.

Можно, конечно, свести это к двум трехчасовым занятиям спортом по выходным — это значительно лучше, чем ничего. Но нельзя сводить это к недельному походу в горы раз в год — этот фокус не пройдет. За год, если специально не поддерживать организм в рабочей форме, мышцы ослабнут, и идти в горы будет некому.

Что порекомендовать. Сейчас вроде бы самое время остановиться на каком-то конкретном комплексе физических упражнений и провозгласить: вот оно — то, что неминуемо спасет вас! Но мы уже заявили ранее, что собственных наработок у нас почти нет, мы пользуемся готовым. А этого готового так много, что не знаешь, с чего и начать. Поэтому начнем с самого простого. То есть с ежедневной физзарядки.

Физическая зарядка. Существует множество видов физической зарядки, которые сводятся к выполнению какого-то комплекса упражнений, в ходе которого у вас *разминаются все мышцы тела.*

Это может быть самая *простая физзарядка* с приседаниями, наклонами вперед и вбок, вращением туловища, рук и ног во всех еще вращающихся у вас суставах. Если можете, используйте при этом гантели, какие-то приспособления или тренажеры, это резко увеличит эффект от занятий.

Конечно, целый час приседать и размахивать руками может только фанатик здоровья. Но если вы посвятите этому делу хотя бы минут 15–20 с утра и 20 минут вечером или в течение рабочего дня, то ваш организм будет вам безмерно благодарен и ответит вам своим хорошим самочувствием.

Суставная гимнастика. Если простая физзарядка вас не устраивает, найдите себе что-нибудь более заковыристое. Например, *суставную гимнастику*, описанную в книгах М. Норбекова [26, 27]. Это комплекс специально подобранных упражнений, рассчитанный на использование людьми любого возраста.

Наверняка существуют и другие комплексы физических упражнений — вы можете использовать любой из них, лишь бы ваше тело получило свою порцию нагрузок.

Динамическая медитация. Если простое выполнение физических упражнений кажется вам скучным, попробуйте проводить *динамическую медитацию.* Для этого включите негромкую ритмичную музыку (только не рок и не рэп), лучше какие-то мелодии из индийских кинофильмов. И *позвольте своему телу совершать под эту музыку любые движения.* Отключите свое сознание, просто слушайте музыку и старайтесь почувствовать ее внутри себя, и ваше тело начнет совершать какие-то движения в такт музыке. Иногда это могут быть очень странные и неожиданные для вас движения — не пугайтесь. Может быть, в прошлой жизни вы были танцовщицей, и теперь ваше тело напоминает вам об этом.

Это не должны быть типовые танцевальные движения, а просто вращения и извивания вашего тела в такт с музыкой. Позвольте вашему телу отреагировать на музыку так, как ему захочется. Если оно будет лениться или вести себя скованно, то поначалу сознательно добавляйте в свои движения разного рода наклоны, вращения, перемещения. Со временем ваш организм расслабится и научится очень ритмично и пластично двигаться в такт музыке.

Выполнять динамическую медитацию лучше с закрытыми глазами. И конечно, нужно делать ее в одиночестве, чтобы не чувствовать себя скованно под сочувственными взорами окружающих. Или, что еще хуже, выслушивать их критические комментарии по поводу вашей «поехавшей крыши».

Шейпинг, аэробика, подвижный спорт. Если условий для разминки тела дома нет (слишком мала жилая площадь, слишком много зрителей и комментаторов, нет воли заставить себя двигаться с утра), то воспользуйтесь услугами различного рода спортзалов, спортклубов или фитнесс-клубов (если есть достаточные средства для этого).

Для женщин существует довольно большой выбор разного рода динамических (то есть подвижных) разминок — это шейпинг, аэробика, просто гимнастика, гимнастические танцы и т. п.

Если у вас нет рядом спортивного клуба, то купите себе видеокассету с записью подобных упражнений и крутите ее по телевизору, одновременно повторяя действия ведущих разминку.

Мужчины выбирают обычно более мужественные занятия, требующие больших физических усилий, — это могут быть занятия по атлетике, футболу, волейболу и т. д. Хорошо все, что позволяет вам подвигаться и как следует размять все мышцы вашего тела.

Сюда входят занятия теннисом, бадминтоном, плавание, бег трусцой (с дополнительными разминочными упражнениями), хождение на лыжах и т. д. Лишь бы все это делалось регулярно, не реже раза-двух в неделю.

Цигун, йога, другие восточные методики. Сюда же можно отнести занятия классической хатха-йогой, цигуном и любыми другими восточными гимнастиками и специальными видами борьбы. Другое дело, что эти методики наряду с разминками физического тела обычно *работают и с нашей энергетикой.* То есть наряду с разминкой физического тела тем или иным образом осознанно подзаряжается наше энергетическое тело.

Наверное, существует еще множество каких-то систем и методик работы с физическим телом — вы можете использовать то, что вам приглянулось. Единственное, что должно соблюдаться при выборе методики работы с телом, — она *должна давать разминку всех суставов и мышц вашего тела не реже двух раз в неделю,* суммарно часов на пять-шесть в неделю. И вы увидите, как ваше тело будет вам благодарно за такую заботу!

И еще. На Востоке говорят, что *состояние здоровья человека определяется гибкостью его позвоноч-*

ника. А как у вас с этим важным органом? Можете ли вы, не сгибая коленей, достать ладонями пол перед собой? Можете ли вы развернуться вокруг оси или отклониться назад? Если нет, то на какое здоровье вы можете претендовать? Начните работать над собой, и ваш позвоночник отблагодарит вас отличным самочувствием.

А мы пока подведем первые в этой главе итоги.

Итоги

1. Чтобы быть здоровым, нужно иметь здоровое физическое тело.
2. Чтобы физическое тело было здорово, нужно постоянно разминать его, то есть хотя бы один час в день отдавать работе с ним.
3. Для разминки физического тела годятся любые виды физической зарядки, суставная гимнастика, динамическая медитация, занятия любым видом спорта.
4. Более эффективно заниматься восточными гимнастиками или единоборствами, поскольку там наряду с работой с физическим телом производится подзарядка энергетического тела.
5. Годится любой вид физической разминки своего тела, лишь бы эта разминка выполнялась регулярно, лучше ежедневно.

Чем будем питаться?

Разминать свое тело — дело замечательное. Но если после двух часов футбола вы выпиваете бутылку водки и запиваете ее тремя литрами пива (мужской вариант) или после шейпинга съедаете целый торт с чаем (женский вариант), то ваш организм может не выдержать такой борьбы за здоровье. Он сдастся и заболеет, поскольку в перерыве между футболом (или шейпингом) вы наверняка тоже будете дозагружать его нехилыми порциями еды и питья.

Кушать вроде бы надо. Мы уже рассказывали, что наш организм берет из пищи энергию и строительные материалы для своего самовосстановления (регенерации тканей). Поэтому питаться нужно. Желательно качественно, разнообразно и, главное, регулярно. Можно есть то, к чему лежит душа и что вам по карману. Человек — очень живучее и адаптивное существо, он способен усваивать абсолютно любую пищу. Но здесь есть определенные ограничения.

Если мы вводим в него избыток пищи, то он начинает откладывать ее впрок в виде жировых отложений. И избавиться от этого очень сложно, поскольку у нас существуют две устойчивые вредные привычки:

а) кормить до отвала;

б) доедать все, что вам насильно положили в тарелку.

Корни первой привычки скорее всего лежат в нашем бедном прошлом, когда люди могли наесться досыта только в праздник, а в остальные дни пища была самая простая и скромная. Сегодня уровень материальной обеспеченности большинства людей резко возрос, и вся жизнь превратилась в праздник. Но до сих пор существуют традиции восточного (дастархан) и российского (да и украинского) хлебосольства, когда хозяйка считает своим долгом так накормить гостей, чтобы еда вываливалась у них чуть ли не из ушей. Пусть они потом три дня отходят от угощения, это их проблема. Ей важно накормить их так, чтобы никто не мог сказать про нее что-то плохое (типичная идеализация своего совершенства и идеализация общественного мнения). Конечно, далеко не каждый организм способен выдержать частые подобные угощения.

Корни второй привычки тоже лежат, видимо, в нашем голодном прошлом. Только здесь уже *действует инстинкт*, который опасается, что в будущем пищи может не быть, поэтому нужно запасать ее впрок. И заставляет нас съедать все, что помещается в желудок, горло и за щеки.

И нужно честно признаться, что быстро отказаться от этих привычек вряд ли возможно — слишком сильны традиции. Фактически это наши *неосознаваемые внутренние негативные программы*, которые определяют наше поведение помимо нашего сознания.

Что же можно сделать в этой ситуации? Можно *научиться сознательно ограничивать себя в еде* (и питье), тогда никто не сможет впихнуть в вас еды больше, чем вы считаете нужным. И ... именно вы, божественное создание, а не ваш ... управлять своим телом и своим повед... этого вам придется *применить силу в* ... где ее снова взять-то?).

Используем аффирмации. Помочь ... мощью аффирмации, которая облег... ния с едой. Аффирмация должна б... *на ограничение количества погло... спокойное отношение к беспокойн...* рым явно не понравится ваша возд... наверняка применят все способы, ... ли в себя столько же еды, сколько и... начнут чувствовать свою неполно...

Вот примерный текст такой афф... гда ем столько, сколько нужно мое... восстановления потраченных сил. ... немного, я не запасаю пищу на бу... Жизни и знаю, что у меня всегда б... нужном мне количестве в будуще... ло и свои органы и не перегружаю...

их откладывать излишки пищи в виде жира и шлаков. Я люблю свои органы и не отравляю их избытком пищи. Я позволяю окружающим людям думать обо мне все, что они захотят. Я ем ровно столько, сколько нужно для восстановления моих сил, и ни кусочка больше. Я люблю свое тело и забочусь о нем!»

Вы можете составить любой другой текст, более близкий и понятный вам. А потом нужно красиво написать эту аффирмацию на листке бумаги, повесить на видном месте и *повторить пару тысяч раз*. И тогда ваш живот перестанет управлять вашим поведением.

Нужно отметить, что с помощью подобной аффирмации можно отучить себя и от пьянства — если только у вас есть на это желание. Только вы хозяин своей головы, своих мыслей и поступков, не забывайте об этом.

Диеты, системы питания. Конечно, на пути осознанных ограничений очень хороши специальные системы питания (раздельное питание, вегетарианство и пр.), поскольку они принудительно регулируют состав пищи и тем самым исключают пищевые перегрузки. Обычным препятствием на пути длительного использования специальных систем питания является то, что не все члены семьи могут разделять ваши убеждения (скорее всего это говорит о наличии у вас идеализации разумности). А готовить разные блюда по несколько раз в день очень сложно.

Очень неплохи любые диеты, которые тоже ограничивают количество потребляемой пищи. Минус диет состоит в том, что они быстро заканчиваются, и переедание начинается по новой.

Голодание. Экстремальным способом освобождения от накопленных отложений солей, шлаков и частично жира является голодание. Существует несколько разновидностей голодания, подробно описанных в литературе [29].

Механизм внутреннего действия голодания более или менее понятен. Прекратив подачу пищи, мы *ставим организм в экстремальные условия*. Первые два-три дня голодовки он еще ждет и надеется, что мы передумаем и опять начнем кушать. Чтобы принудить нас к этому, он усиливает чувство голода — именно поэтому так сложно перенести начало голодовки.

Если это не помогает, то в дело вступает *инстинктивный механизм выживания*. Он в экстренном порядке просматривает все тело и ищет места, где энергия расходуется напрасно. Когда пищи (и энергии) было много, лишний расход сильно не обременял. Но когда речь реально идет о выживании, то все излишества становятся ненужными и организм стремится как можно быстрее избавиться от них. А что такое болезнь? Это место воспаления, то есть избыточного расхода жизненных сил, которых осталось совсем немного. Организм экстренно мобилизует все свои защитные функции и подавляет очаги воспаления. Если есть возможность, он выбрасывает (вместе с мочой) из клеток лишние соли и шлаки, для обслуживания которых тоже требуется энергия.

В общем, *голодание есть процесс инициации всех защитных сил организма*, которые ранее работали не в полную силу. Сухое голодание (без воды) — еще больший стресс, который еще сильнее интенсифицирует защитные силы организма. Но это уже способ, рассчитанный на любителей экстрима.

Нужно сказать, что автор этой книги голодает на воде по системе П. Брэгга обычно два раза в год (весна, осень) по 6—8 дней. При этом он живет обычной жизнью — делает зарядку, работает (не физически), ездит на автомобиле и т. д. во все дни голодания.

Есть некоторая слабость, чуть замедляются реакции, а в остальном никаких особых изменений нет.

Конечно, на голодание нужно заранее психологически настроиться, тогда начало будет совершенно спокойным (то есть организм и не будет пытаться заставить вас начать есть в первые дни, понимая, что это бесполезно). Первые три дня пища еще как-то интересует вас, а потом наступает полное спокойствие, и она воспринимается точно так же, как и несъедобные предметы.

Через три-четыре дня голодовки все суставы начинают вращаться, как будто их смазали заново, исчезают все щелчки и похрустывания — значит уходят отложения солей.

В общем, голодать можно, никаких проблем с этим не существует, кроме собственных страхов. Только нужно выполнять все рекомендации, которые дают специалисты, и все будет замечательно.

Первично наше сознание. Те, кто интересуется различными оздоровительными системами, связанными с употреблением каких-то специальных препаратов или просто с системами питания, наверняка заметили, что нередко эти системы дают весьма противоречивые рекомендации.

Например, во всеми уважаемой йоге рекомендуется выпивать в день по 3—4 литра чистой воды для промывки внутренних органов и выведения шлаков вместе с мочой. А не менее древняя и столь же уважаемая макробиотика дзен утверждает, что любая жидкость — это энергия инь, которая подавляет янский орган — почки, поэтому пить нужно как можно меньше. Макробиотика говорит, что воды мы получаем достаточно вместе с пищей и пить различные жидкости, например чай, совершенно не нужно, особенно сразу после еды. Как видим, рекомендации прямо противоречат друг другу.

Вот еще пример. Та же макробиотика утверждает, что волосы на голове выпадают из-за избытка иньского сахара в организме, и для укрепления волос запрещает употреблять сахар, мед и прочие сладости. Но если мы обратимся к не менее популярной апитотерапии, то там для закрепления волос на голове вам порекомендуют применять мед и сопутствующие ему продукты.

Подобных противоречий в системах питания можно найти немало. И что удивительно, при правильном выполнении правил *все они приводят к одинаковому результату — человек выздоравливает*. О чем это говорит? Только о том, что очень большое значение имеют не сами вводимые в наш организм продукты или препараты, а *наше отношение к ним*. Нам важно поверить в то, что именно этот способ питания или препарат приведет к выздоровлению, и тогда он действительно даст хорошие результаты. То есть *мы сами должны дать организму установку*: если я буду пить много воды (или мало — все равно), то я выздоровею! Затем вы начинаете выполнять эту процедуру с водой (или любым другим препаратом), и организм выздоравливает. Он всего лишь выполняет данную вами же установку!

Если же вас одолевают сомнения, то это значит, что организм получил от вас противоположную установку: мне этот препарат не поможет! Вы можете принимать любой, самый чудодейственный (для других) препарат, но он вам не поможет, поскольку ваш организм будет бороться с любыми положительными изменениями. И это не назло вам, а всего лишь старательно реализуя вашу же внутреннюю установку: мне это не поможет.

Так что нужно честно признать, что какой бы древней или новой ни была система питания или оздоровления, все равно *первично будет наше отношение к ней, то есть наше сознание* (или, скорее, наше подсознание). Именно наши внутренние установки будут определять эффективность метода, а не наоборот.

На этом, пожалуй, тему еды можно закончить и подвести итоги этой главы.

Итоги

1. Нерегулярная и избыточная еда не усваивается полностью организмом и приводит к отложению шлаков и жира в теле.

2. Существует ряд устоявшихся традиций (внутренних неосознаваемых установок) по отношению к еде, которые заставляют нас переедать.

3. Чтобы избавиться от этих программ, можно подобрать себе соответствующую аффирмацию и много раз повторять ее. В итоге у вас закрепится новая программа, которая будет ограничивать потребление пищи в любых условиях.

4. Целесообразно использовать любые способы управления своим питанием — специальные режимы питания, более простую пищу, диеты, голодание.

5. При использовании любой системы питания или оздоровления первичным будет наше отношение к ней, то есть та внутренняя установка, которую мы дадим своему организму. Если это будет установка типа: именно этот метод мне поможет, то его использование даст положительный эффект. Если мы будем сомневаться в эффективности метода, то наш организм будет бороться с действием методики. Только наше отношение будет определять эффективность метода.

Подсыплем себе порошочка

Продолжая тему питания, нужно отметить, что само по себе отсутствие переедания еще не есть гарантия того, что наше тело получит все необходимые ему микроэлементы, необходимые для процесса восстановления клеток тела.

Мы уже приводили пример того, какой дом может быть построен, если строители будут иметь в наличии один цемент. Так и наш организм. Если загружать его только хлебом и картошкой, то ничего толкового построить он не сможет. Пища должна быть разнообразной, в этом утверждении нет ничего нового.

Но даже и разнообразная пища не гарантирует того, что у нас все будет в порядке, что вместе с пищей мы внесем в организм весь нужный ему набор микроэлементов. Особенно это касается жителей больших городов, которые покупают всю пищу в магазинах. Как и где была выращена или изготовлена эта пища, остается только догадываться.

Пища стала вкусной, но вредной. Не секрет, что среда нашего обитания за последние 100 лет резко изменилась. Мы дышим выхлопными или промышленными газами, пьем воду странного состава, одеваемся в синтетическую одежду. Достижения химии привели к тому, что вместе с пищей мы поглощаем множество вредных химических соединений (пестициды, гербициды, разного рода консерванты, красители, ароматизаторы и пр.). Да и само качество пищи так резко изменилось, что организм с трудом успевает подстраиваться под эти изменения.

Например, мукомолы стали очень тонко молоть муку. Из такой муки получается мягкий и вкусный хлеб, но для желудка был много полезнее прежний грубый хлеб. Хлеб из муки грубого помола наряду с питательной функцией еще выполнял функцию «чистильщика» наших кишочек. Сохранявшаяся в нем клетчатка не растворялась в желудке и выполняла функции метелки, убирая из кишечника все лишнее.

Сегодня каш мы едим мало, хлеб только тонкого помола — в итоге клетчатки в желудке почти нет и чистить его естественным способом некому.

В общем, состав пищи в последнее время резко изменяется, ее природные свойства падают жертвой автоматизированных технологий или изысков кулинаров. Мы пьем стерилизованное молоко и готовим на пастеризованном масле, в котором не осталось жизни. Скоро, наверное, нас самих уже можно будет стерилизовать — как еще живых и склонных к заболеваниям.

Это не значит, что мы хотим напустить на вас очередную ментальную порчу — мол, есть ничего нельзя, все химическое и бесполезное. Нет, есть можно, это вполне вкусно и питательно. Но нужно осознавать, что при изготовлении полуфабрикатов и готовых блюд производители заботятся прежде всего о технологичности приготовления, внешнем виде и вкусовых качествах продуктов. О том, насколько это полезно для желудка, нужно думать нам самим.

БАДы. Поскольку возникла некоторая проблема с составом и качеством продуктов, рынок тут же отреагировал на это выпуском нового товара, который должен компенсировать недостатки современной пищи. Торговля стала предлагать различного рода *биологически активные добавки* к пище, то есть БАДы.

В качестве БАДов стали выступать разного рода отвары из трав, сиропы, чаи. И конечно, огромное количество разных порошков или таблеток со сложным составом, включающим перетертые корешки, листья, плоды, ягоды, кору деревьев, ракушки, водоросли и т. д. Это могут быть и чистые химические элементы — цинк, магний, кальций, селен, медь и другие, только приготовленные в удобной для усвоения нашим организмом форме.

Часть БАДов продается в аптеках и магазинах, но основное их распространение идет по сетям многоуровневого маркетинга.

Поскольку рафинированную пищу первыми стали использовать в Америке, там же первыми спохватились и обнаружили недостатки этой пищи. И там же возникли первые сети по распространению БАДов, которые затем пришли в другие страны мира, в том числе в Россию.

В последние годы и в России были созданы и активно работают немало компаний, занимающихся продвижением аналогичного товара, но уже отечественного изготовления. Цены на отечественные БАДы обычно в несколько раз ниже, нежели на западные, хотя качество может быть и более высоким.

А что говорит официальная наука. Отношение к БАДам у простых людей и у ученых самое разное. Еще тридцать лет назад на вопрос: «Что вы думаете о витаминах и минералах, как пищевых добавках к нашему питанию?» — профессор медицины Нью-Йоркской медицинской школы В. Хубин ответил: «Все витамины как дополнение лишь делают нашу мочу более дорогой».

Такое мнение, конечно, отражает крайне отрицательную точку зрения по отношению к БАДам. Естественно, существуют и другие мнения. Учеными было проведено множество исследований на тему, как взаимосвязаны конкретные заболевания и содержание в крови (в волосах, в ногтях) тех или иных микроэлементов. В итоге были обнаружены устойчивые взаимосвязи между ними и выработаны рекомендации по тому, какие микроэлементы или их комплексы рекомендуется применять в том или ином случае.

Другое дело, что любое исследование или любой материал на эту тему обычно заканчивается одним и тем же — рекомендациями применять какие-то конкретные БАДы. Видимо, именно те, которые исследовал или разработал автор очередной научной работы.

При этом, как обычно, умалчиваются некоторые недостатки и выпячиваются достоинства БАДов.

Не все одинаково. Конечно, БАДы решают очень полезную функцию насыщения нашего организма теми микроэлементами, которые мы получаем в недостаточном количестве. БАДы помогают избавиться от болезней или поддерживать организм в норме миллионам людей во всем мире. Автор настоящей работы тоже периодически пользуется самыми разными БАДами в виде ампул, таблеток, чаев, масла, сиропов и пр. Но здесь опять же *нужно оставаться разумным и осознанно относиться к тем предложениям*, с которыми к вам могут обращаться представители компаний, распространяющих эти добавки. Качество далеко не всех из них соответствует той рекламе, которая сопутствует им.

Например, в число БАДов, которые продвигаются многими сетями, входит такой препарат, как водоросль спирулина. При этом сообщается, что эта самая спирулина является чудодейственным препаратом, которым пользовались еще древние ацтеки для излечения от всех болезней. И что если вы начнете глотать таблетки из этой самой спирулины, то будете здоровым, как древний ацтек. Но так ли это на самом деле?

Действительно, древние ацтеки обнаружили эту самую спирулину в высокогорном озере, и она действительно обладала чудодейственными свойствами. Но такая ли спирулина продается в аптеках или в сетях многоуровневого маркетинга по цене 30—50 рублей за баночку? Естественно, нет. Аптечная спирулина выращивается в бассейнах в условиях города, и количество минералов в ней точно такое же, как в воде, налитой в бассейн из водопровода. С виду она как настоящая, а по действию — очень сомнительно. Скорее всего она отличается от природной спирулины так же, как отличаются гидропонные помидоры от грунтовых, или еще сильнее.

Точно так же нужно осознанно относиться и к некоторым другим активно рекламируемым препаратам.

Например, тот же кальций, предлагаемый многими сетями, изготавливается из молотых кораллов и ракушек. Но если этот кальций не растворялся в морской воде, то как же он будет растворяться у нас в организме? Он и не растворяется, то есть усваивается организмом на 10–15 %, остальное выбрасывается естественным путем. Но продавцы БАДов об этом умалчивают или называют совсем другой процент усвоения.

И подобных преувеличений или искажений сведений о действенности этих препаратов имеется немало, так что часть из них действительно только увеличивает стоимость мочи. Но, естественно, не все.

Известно множество случаев, когда правильное применение БАДов привело к выравниванию давления, нормализации работы сердца, почек, печени и многих других органов. Вы уже, наверное, понимаете, что это *произошло именно в тех случаях, когда заболевание было вызвано недостатком этих элементов в организме*. БАДы помогают, когда корень болезни лежит в неправильном питании, то есть в *физическом теле*. Именно тогда лечение БАДами на уровне физического тела дает хорошие результаты. Дополнительные дозы микроэлементов доставляются кровью к клеткам больных органов и в результате биохимической реакции происходит их выздоровление.

Естественно, что если причина заболевания лежит в сфере эмоций, ментала или имеет корни в прошлых жизнях, то даже тонны добавок ничего не изменят, либо приведут даже к ухудшению состояния. Или дадут эффект, но очень кратковременный.

Когда БАДы помогают. На этом мы заканчиваем рассуждения о том, стоит ли подсыпать порошочка (то есть БАДов) в свой забарахливший организм. Явно стоит это делать тогда, когда вы питаетесь продуктами из магазина, в вашей пище не очень много витаминов и грунтовых овощей. Конечно, не всегда можно однозначно найти, где лежит корень вашего недомогания. Если ситуация именно такова, то в рамках тотального приведения в порядок всех наших тел не мешает включить БАДы в свой рацион.

Если есть деньги, можно использовать готовые отечественные или зарубежные добавки. Если нет, можно обойтись ржаным хлебом или пищевыми отрубями (клетчатка), сиропами, отварами и настоями из трав, другими недорогими препаратами, которые широко продаются в торговой сети. Если вы умеете заготавливать ягоды и фрукты с сахаром без варки, так вы профессионал по изготовлению БАДов (хотя, если быть объективным, то варенье и протертые ягоды — это скорее пища, нежели добавки к ней). Употреблять все это можно, хуже от этого вам не станет.

Личный опыт. Автор настоящего труда перепробовал множество самых разных пищевых добавок. Часть из них не вызвала абсолютно никакой реакции, часть вызвала неприятные ощущения, некоторые дали явный положительный эффект.

При покупке всяких зарубежных чудо-снадобий я обратил внимание на то, что они делают упор на экзотичность состава своей продукции. Вам обязательно предлагается что-то вроде корешка редкого кустарника из долины Амазонки или толченые лапки таракана с острова Занзибар. Логика составителей этих рецептов понятна. Человек, живущий в России, наверняка уже опробовал на себе все отечественные снадобья, и они не дали ему чуда моментального выздоровления. Но он все же подозревает, что есть где-то на Земле такой порошок, который глотнешь, и сразу выздоровеешь, чем бы ты ни болел. Понятно, что такой порошочек — вещь редкая, и находится в тридесятом царстве. Мы это твердо усвоили в детстве из сказок.

Поэтому мы и ищем снадобья заморские да составом почуднее, смутно надеясь, что они-то нам обязательно помогут. Но на том же Занзибаре люди тоже читают сказки, и им тоже нужно заморское чудо. Видимо, для них международные корпорации предлагают чудо-порошок из усов сибирских комаров за немалые деньги. И занзибарец его покупает, поскольку все свои снадобья он уже попробовал, они ему не помогли и он надеется на заморское (уже сибирское) чудо.

Являясь человеком в какой-то мере циничным и склонным к анализу ситуации, автор прекрасно видит все эти механизмы скрытой манипуляции нашим сознанием, используемые для продвижения своей продукции разными компаниями. Но тем не менее организму помогать надо. И не только путем самовнушения, но и с помощью вполне реальных БАДов, содержащих полезные микроэлементы. Причем лучше использовать за основу те растения, продукты или вещества, которые *имеют вибрации нашей территории*. Творец не зря расселил людей по миру и каждому дал свои лечебные травы и лекарства, дающие лучший эффект как раз на своей территории.

В общем, автор остановил свой выбор на продукции российской компании «Сибирское здоровье». Различные фиточаи из сибирских трав, набор лекарственных составов на основе меда и многие другие

БАДы этой компании произвели очень неплохое впечатление. Понятно, что это мой личный выбор, вы вправе сделать любой другой. С продукцией этой компании можно ознакомиться в офисе нашего Центра «Разумный путь» в Москве, Санкт-Петербурге и некоторых других городах.

Не забывайте о голове. И конечно, не забывайте *дать своему организму правильную программу* на получение положительного эффекта от БАДа. То есть, решившись приобрести БАД, попробуйте сразу же дать себе *положительную внутреннюю установку*: именно этот препарат очень хорош для меня и он принесет большую пользу моему организму. Тогда все будет замечательно.

Если же вы поддались натиску рекламы или продавца БАДов, но внутренне настроены скептически: «посмотрим, что этот чудо-порошок сделает со мной», то хорошего эффекта не ждите. Организм считает ваш настрой и всеми силами постарается подтвердить его — все это ерунда и лишняя трата денег. Если вы не сумеете положительно настроить себя, то вряд ли стоит тратить деньги на бесполезный для вас порошок или иную примочку.

Это не значит, что мы призываем слепо верить всем рекламным обещаниям продавцов БАДов, а это обычно очень энергичные люди. Но если уж вы поддались на их уговоры, то постарайтесь, чтобы затраченные вами средства на покупку БАДа принесли вам максимальную пользу. И тогда все будет замечательно.

Только не ждите, что только одни эти препараты сразу дадут желанный эффект полного исцеления от всего и сразу. Мы уже говорили, что *здоровыми должны быть все наши тела*, а не только микроэлементный состав крови, поэтому не забывайте о физзарядке и обо всем том, что мы будем рассматривать позже.

На этом мы заканчиваем рассмотрение способов оздоровления физического тела и переходим к последним в этой части итогам.

Итоги

1. В последние годы резко изменилась среда обитания людей, особенно тех, кто проживает в крупных городах. Изменился состав воздуха, воды, пищи, причем не в лучшую сторону.

2. Современные продукты питания массового спроса должны иметь как можно больший срок хранения. Для этого их обрабатывают так, чтобы убрать из них все живые микроорганизмы, которые могут привести к скисанию, брожению, окислению и другим видам порчи продуктов питания. Многие продукты подвергаются высокотемпературной тепловой обработке, после которой они не портятся. Но тем самым резко снижается их полезность для нашего организма.

3. В современных продуктах питания присутствует множество различных химических соединений, вредных для организма. И отсутствуют те микроэлементы, которые нужны организму для развития и самовосстановления клеток.

4. Для замещения отсутствующих в пище микроэлементов предложен новый вид продукции — биологически активные пищевые добавки (БАДы).

5. БАДы полезны для организма, но нужно осознанно подходить к их выбору и меньше верить той рекламе, которой сопровождается продажа БАДов в сетях многоуровневого маркетинга. Тогда вы сможете отобрать для себя полезные и эффективные добавки.

Глава 4

Поработаем с внутренними энергиями

Теперь, когда мы познакомились с методами оздоровления своего физического тела (и вы выбрали себе что-то подходящее), пора подумать о своей энергетике, то есть о нормальном состоянии своего эфирного тела.

Конечно, если вы будете регулярно заниматься физзарядкой, то одновременно будете подзаряжаться энергетически. И возможно, этого запаса вам вполне хватит.

Если же из методов работы с физическим телом вы выбрали занятия спортом пару раз в неделю (по вечерам или по выходным), то при напряженном ритме работы этого может оказаться недостаточно. Вы можете очень сильно уставать на работе или постоянно недосыпать, и в итоге здоровье начнет вас подводить, невзирая на периодические занятия спортом. Здесь уже требуются специальные способы поддержания себя в высоком тонусе. Тогда энергопотоки в нашем эфирном теле будут течь более упорядоченно и живо и предотвращать все потенциальные искажения.

В рассматриваемой нами многомерной модели человека эфирное тело исполняет роль своеобразной матрицы, по которой строятся органы физического тела. Эта матрица появляется с момента зачатия ребенка, она развивается вместе с ним и определяет строение тела человека [30]. И соответственно, состояние его здоровья.

У всех существ есть эфирная матрица. Наличие подобной тонкоматериальной матрицы у живых существ получило полное экспериментальное подтверждение после появления такого способа наблюдения за энергетическими полями живых объектов, как эффект Кирлиан.

Этот эффект возникает, если на любой живой объект подать высокое напряжение (порядка 20–30 кВ). Вокруг объекта при этом возникает свечение, которое у электриков называется «коронный разряд». Такое свечение можно увидеть на высоковольтных линиях электропередачи в сырую погоду. Оно возникает за счет того, что электрический ток с электрода утекает во влажный (то есть токопроводящий) воздух.

Если на исследуемый живой объект подать высокое напряжение, а под него положить специальную фотопленку, то на ней четко обрисуются границы утечки тока, обычно повторяющие контуры исследуемого объекта и показывающие особенности его энергетического тела. Примерно так работают медицинские приборы, использующие эффект Кирлиан. Вы вставляете пальцы в специальные трубочки-электроды и получаете изображение коронного разряда вокруг ваших пальцев. По этим изображениям производится диагностика состояния вашего здоровья.

Так вот, если положить на эту фотопленку обычный лист с дерева, то коронный разряд повторит форму этого листа. Но вот если потом *отрезать часть листа и снова подать на него высокое напряжение, то форма коронного разряда не изменится!* Она повторит форму целого листа, хотя в действительности лист будет поврежден.

Этот опыт многократно проводился разными учеными, и результат был один и тот же — невзирая на физический дефект листа, токи коронного разряда стекали с него, как с целого! Это может объясняться только тем, что *токи коронного разряда протекают не по самому листу, а по его энергетической матрице,* которая сохраняется при повреждении самого листа.

Точно такая же тонкоматериальная матрица имеется у любых других существ, в том числе у людей. Вспомним многократно описанные в литературе случаи, когда люди теряют какую-то конечность (ногу, руку), а потом чувствуют боль в этой самой отсутствующей конечности (так называемые фантомные боли). Что там может болеть? Только эфирная «нога» или «рука», которые уже не существуют в материальной реальности, но остались в эфирном теле.

Приведение доказательств существования эфирной матрицы нашего организма не является темой настоящей книги — мы сразу исходим из того, что она существует и с ней нужно уметь работать. Тот, кого интересуют подобные доказательства, может обратиться к монографии Ричарда Гербера, где приведено множество фактов в пользу существования эфирного тела [31].

Мы же возвращаемся к рассмотрению вопроса о том, как можно поддерживать свою энергетику в виде, обеспечивающем здоровое состояние физического тела.

Способов работы с внутренними энергиями существует великое множество, и мы рассмотрим лишь некоторые из них. Но вначале мы рассмотрим, как можно избавиться от избыточного расхода наших жизненных сил.

Перекроем утечку жизненных сил

В начале книги мы уже рассказывали, что существует множество версий того, как именно протекают жизненные силы внутри нашего организма. Мы не будем брать какую-то конкретную модель, а остановимся на общих идеях — как можно усилить эти самые энергопотоки и сделать так, чтобы они стали источником здоровья, а не болезней.

При этом мы будем исходить из общих для всех моделей идей — *внутренние энергопотоки должны быть, и они должны протекать спокойно и равномерно по установленным для них траекториям*. Заболевание возникает тогда, когда энергопоток иссякает или минует какой-то орган, в результате чего клетки этого органа не получают достаточного количества внутренней энергии и заболевают.

Когда течь нечему. Для начала возьмем первую причину заболевания — *иссякание внутренних энергопотоков*. Конечно, что-то там еще движется, иначе душа давно бы покинула это бессильное тело. Но течет оно вяло, без удовольствия и энтузиазма.

Значит, нужно сделать что-то, чтобы этой самой внутренней энергии у вас стало побольше.

Мы не будем рекомендовать вам использовать широко распространенный способ заимствования (вампиризм) энергии у других людей. Это нехорошо, неэтично и небезопасно. В конце концов, вы можете оказаться в ситуации, когда и отвампирить-то будет не у кого (например, в лесу или в больнице). Поэтому нужно научиться «встряхивать» свой организм и заставить его выполнять свои функции как положено. С чего тут можно начать?

Включим голову. Естественно, для начала *нужно понять*, откуда у вас такая слабость, почему ваш организм не обеспечивает вас достаточным количеством жизненных сил и куда вы их так бездарно растрачиваете?

А потом начинать искать способы выхода из этой ситуации.

Выспитесь наконец-то. Если слабость у вас накопилась из-за хронического недосыпания — пошлите подальше все хлопоты и *хорошенько отоспитесь*, хотя бы раз в неделю. Возможно, вас при этом будет мучить совесть или ощущение того, что вы чего-то не доделали. Или что нехорошо спать в то время, когда другие уже работают. Так бывает, и это есть *идеализация отношений между людьми* (нельзя спать, когда кто-то работает) или *идеализация своего совершенства* (я не могу доставлять людям неудобства: если меня не будет, кто-то должен будет работать за меня).

Поработайте с этими идеализациями [1, 4]. Простите себя за такой поступок. Полюбите себя, выспавшегося. Поймите, что если вы и дальше будете работать в таком темпе, то заболеете, но уже надолго. И тогда вашим товарищам (или близким) придется выполнять вашу работу в течение куда большего времени, чем те несколько часов, которые вы должны выделить себе для сна.

Конечно, мы не рекомендуем плюнуть на все и спать до обеда каждый день — это уже перебор. Просто нужно сделать так, чтобы вы смогли *регулярно высыпаться* — тогда вы будете энергичны и сумеете сделать еще больше своих дел.

Другое дело, что вам нужно понять, зачем вы создали себе такую жизнь, в которой у вас даже нет времени для сна? Но этот вопрос нами уже подробно рассматривался ранее [10].

Управляйте своими эмоциями. Если ваша слабость является следствием постоянного сочувствия слабым и больным людям, то *научитесь управлять своими мыслями и эмоциями*. Возможно, вы уже давно стали своего рода «жилеткой», в которую плачутся все, у кого есть какие-то проблемы. Они приходят к вам и изливают вам все свои горести, вы им сочувствуете и утешаете. Потом они уходят успокоенные, а у вас падает давление, болит голова, сердце или еще что-то. Вы отдали часть своих жизненных сил, и самому мало что осталось. А вам это нужно?

Если вы не представляете себе жизнь без подобных отношений с окружающими, то продолжайте, пока здоровье позволяет. А если вам это уже начинает надоедать, то попробуйте *от сочувствия перейти к анализу* того, каким образом у вашего очередного «мученика» могла возникнуть эта ситуация. То есть попробуйте вместо обычной эмоциональной реакции предложить вашим несчастным ментальный анализ того, почему у них так все складывается. Вы можете использовать нашу методику или любую другую — значения не имеет. Будьте уверены, им это очень не понравится. Они привыкли ходить к вам за порцией сочувствия, а вы предлагаете им изменить что-то в их жизни, они к этому не готовы. Им легче будет обвинить вас в черствости, бездушии и т. д. Скорее всего после этого они перестанут так часто обременять вас своими проблемами. И ваше здоровье от этого только выиграет.

Больным нужны ваши энергии. Еще один вариант принудительного отъема ваших жизненных сил — это ситуация, когда возле вас находится тяжело больной (или даже умирающий) близкий вам человек, которому вы поневоле сочувствуете. Сочувствие — это тот клапан, через который ваши жизненные силы уходят к этому человеку. Его душа цепляется за жизнь и использует для этого вашу энергетику.

Эта ситуация самая сложная. Вряд ли можно здесь порекомендовать перестать сочувствовать — это практически невозможно, да и нехорошо с чисто человеческих позиций. Ведь в следующий раз вы сами можете оказаться (хотя бы на время) в такой ситуации и вам нужно будет человеческое участие и поддержка. А если сегодня вы не поможете больному человеку, то завтра уже вам могут не помочь ваши дети или знакомые.

Но здесь не все так однозначно. Бывают случаи, когда больной тянет из вас жизненные соки не один год, и ваш организм все слабеет и слабеет (начинает болеть голова, сердце, падает давление, ничего не хочется делать). Например, у вас в доме лежит парализованная бабушка (или кто-то еще), за которой вы ухаживаете, а остальные члены семьи относятся к ней как к неизбежной неприятности, которая существует рядом, но эмоционально их не затрагивает. То есть они не сочувствуют больной в полной мере, так что в семье остался только один энергодонор — это вы. А здоровье ваше все хуже и хуже.

Если оставить все как есть, исход предсказать несложно. Через некоторое время уже ваш ослабевший организм начнет искать способы защиты от энерговампира, чтобы выжить самому. Сделать это он может только одним способом — *перекрыть отток жизненных сил от вас к другому человеку*. Поскольку сознательно вы этого делать не хотите или не можете, то ваш организм сделает это самостоятельно. Для этого он инициирует у вас сердечный приступ и вы сами попадете в больницу. Оттуда вы не сможете «кормить» своими энергиями больного родственника, поэтому все ваши жизненные силы останутся у вас. Вы поднакопите их в больнице, вернетесь домой, и через некоторое время ситуация повторится. И так до тех пор, пока вы не заболеете окончательно (и не сможете больше «кормить» своими энергиями другого человека) либо пока он не выздоровеет (или умрет).

Регулируйте уходящие энергопотоки. Что можно порекомендовать сделать в подобной ситуации? Начните регулировать ту дозу своих жизненных сил, которую вы отдаете другому человеку. То есть начните *отдавать ровно столько, сколько вы сможете, не нанося вреда своему здоровью.*

Это можно сделать разными способами.

Один из них — *попросить Бога* (или своего Ангела-хранителя) сделать так, чтобы ваша помощь и забота о больном не шла во вред вашему здоровью. Если вы попросите искренне, то эта просьба вполне может быть выполнена. Только не нужно после этого держать в голове разного рода страхи и другие переживания. Вы попросили у Бога помощи, и он даст ее вам, и не нужно беспокоиться, как он станет выполнять вашу просьбу.

Другой путь — это *поработать с мыслеформами.* Мы еще будем подробно их рассматривать, здесь лишь рекомендуем применить конкретный прием.

Мысленно представьте себе, что от вас (из области сердца) к больному человеку идет светящаяся труба, по которой от вас, медленно пульсируя, к нему перетекают жизненные силы. Труба толстая, и способна вобрать всю вашу энергию, которой уже не хватает вам самим.

А теперь мысленно же поставьте на эту трубу кран и немного перекройте его. Поток ваших жизненных сил, уходящих через трубу, несколько уменьшится. Походите в этом состоянии пару дней. Посмотрите, не улучшилось ли ваше самочувствие. Если нет, то еще чуть-чуть перекройте кран, и вновь попробуйте ощутить последствия в течение пары дней.

В общем, вам нужно будет найти такое положение крана, при котором, несмотря на сочувствие больному человеку, уходящий от вас поток жизненных сил будет не таким большим, чтобы ваш организм не мог восстановить его.

Только не перекрывайте кран совсем, иначе ваша энергия перестанет поступать к больному. Если он жил только за счет этой энергии, то не исключено, что в таком случае через день-два его душа больше не будет иметь возможности задерживаться в теле. И вы по этому поводу можете погрузиться в дополнительные переживания (вот, взяла и довела бабушку до смерти). Чтобы этого не произошло, мы и рекомендуем совместить помощь близкому человеку с заботой о своем здоровье, то есть не перекрывать кран окончательно.

Активные вампиры. Еще один традиционный *способ отъема ваших жизненных сил — через конфликты.* Человек, которому не хватает своих жизненных сил, провоцирует вас на вспышку гнева. Вы взрываетесь, и от вас к нему летит большой эмоциональный сгусток, который помогает ему на некоторое время.

Естественно, что в этом сгустке заключена очень плохая информация, которая, усваиваясь организмом вашего обидчика, явно не способствует его выздоровлению. Чтобы этого не происходило, вам нужно простить этого человека и быть ему благодарным за те уроки, которые он вам дает. Ведь каждая его провокация, приводящая к эмоциональной вспышке, есть прямое указание на имеющуюся у вас идеализацию. Будьте благодарны ему за эту диагностику! А потом поработайте со своими идеализациями, и он уже не сможет вывести вас из состояния спокойствия и умиротворенности [1, 4, 7]. Вы перестанете «кормить» его своими негативными эмоциями, и он пойдет искать их у других людей.

Если же вам будет его жалко и вы захотите все же периодически «подкармливать» его своими энергиями, то используйте прием «Чтоб у тебя все было хорошо!» [1, 4]. То есть попробуйте в моменты эмоциональных вспышек высказывать своему оппоненту что-то типа: «Чтоб у тебя все было хорошо! Чтоб тебя все любили! Чтоб у тебя было крепкое здоровье!» Тем самым вы выполните свою роль добровольного энергодонора и не накопите новых переживаний в свой «сосуд кармы».

Отключите «словомешалку». Если ваша слабость (вплоть до депрессии) вызвана *бесконечными страхами и другими бесплодными мыслями,* которые одолевают вас с утра до вечера и с вечера до утра, то надо разобраться со своей «словомешалкой». Иначе она высосет из вас последние силы, и вашим родным придется нянчиться с вами, включая перенос вас в туалет и обратно.

Как можно сломать свою «словомешалку», мы подробно рассказывали в предыдущих работах. Это несложно, но требуются небольшие усилия. Вместо вас сделать это не сможет никто — ни гипнотизер, ни целитель, ни психотерапевт. Если бы можно было вынимать у человека мозги и вставлять на их место другие, более спокойные, то вопрос решался бы легко. Сходили на пункт обмена (или промывки) мозгов, и все в порядке. Но наука пока что до этого не доросла. Хотя, если судить по нынешним темпам ее развития, нам недолго осталось этого ждать.

А пока мы рекомендуем обходиться приемами остановки неконтролируемого бега мыслей, подробно описанными в Методике формирования событий [3, 4, 5]. Или любыми другими.

Как только вы остановите сумбурный и бесконечный поток неуправляемых мыслей, то дела с вашей энергетикой резко пойдут на улучшение. Конечно, нужно будет специально поработать над ее укреплением, но основной расхититель ваших жизненных сил будет укрощен.

Так что подведем первые в этой главе итоги.

Итоги

1. Чтобы мы были здоровы, должно быть здоровым и наше эфирное тело, которое в силу ряда обстоя-

тельств само может стать причиной заболевания физического тела.

2. Выбирая способы оздоровления эфирного тела, мы исходим из самых общих соображений — внутри нас должны протекать полноценные энергетические потоки, и именно по тем траекториям, по которым им необходимо течь.

3. Соответственно эфирное тело станет источником заболевания, если оно ослабеет (потоки иссякнут) либо будут искажены траектории, по которым потоки протекают внутри нас.

4. Если ваша энергетика ослабла из-за хронического недосыпания, то сделайте самое простое — организуйте свою жизнь так, чтобы вы смогли периодически высыпаться.

5. Если энергия от вас уходит к другим людям через избыточное сочувствие или конфликты, то научитесь управлять своими мыслями и эмоциями.

6. Если в депрессию вас вгоняет неконтролируемый и беспрерывный бег мыслей в голове — остановите свою «словомешалку».

Добавим себе энергии

Мы рассмотрели возможные способы *борьбы с излишним оттоком наших жизненных сил*. Допустим, вы выявили все места перерасхода своей энергетики и как-то отрегулировали эту ситуацию. Дальше вам нужно увеличивать свои жизненные силы, но как это сделать? Как можно самому взбодрить свои энергопотоки и заставить их быстрее течь по нашим внутренностям? И можно ли использовать какие-то внешние источники для усиления своих жизненных сил? Оказывается, путей решения этой проблемы имеется множество.

Взбодримся поневоле. Самый простой из них — заставить свой организм работать более интенсивно. Для этого нужно *оказать на тело какое-то внешнее воздействие*, в результате которого кровь быстрее побежит по жилам, мышцы тела судорожно сожмутся и разожмутся, дыхание поневоле перехватит, сердце застучит часто-часто...

Скорее всего вы уже поняли, как можно вызвать в теле такую реакцию.

Самое простое — это *контрастный душ*, только делать его нужно периодически, не реже двух-трех раз в неделю.

Более мазохистский способ — это *моржевание*. Или *обливания ледяной водой*, лучше прямо на морозе. Именно такой способ закаливания организма предлагается использовать в системе оздоровления Порфирия Иванова [32—34]. Нужно сказать, что нам приходилось встречаться с последовательницами этой системы, которые при морозе минус двадцать-тридцать градусов обливали себя водой из ведра прямо на улице. Конечно, далеко не каждый решится на такую процедуру, хотя эффект от нее совершенно замечательный.

Можно использовать другой, более теплый способ — *парилку или финскую баню*. Очень высокая температура воздуха создает сильный стресс для организма, и он начинает искать способы выживания. В итоге возникают все те реакции, которые мы указали выше. Но это действительно должно быть очень сильное прогревание тела, а не сидение в парилке на прохладном полу. Организм должен пройти через стресс и встряхнуться, иначе проку не будет.

Наверное, сюда же можно отнести *занятия сексом*, но не чисто механический процесс трения одной части одного организма о другую часть другого, а высокоэмоциональный всплеск, заканчивающийся оргазмом. Полноценный оргазм и есть тот самый энергетический всплеск, который вышибает многие энергетические пробки и заставляет бурлить энергии в вашем теле. Конечно, повторять этот процесс желательно не реже двух-трех раз в неделю.

В общем, симптомы того, что вы должны у себя вызвать, мы указали. А каким способом вы это получите, решать вам. Можно использовать и совсем экзотические способы — например, публичное раздевание (если оно не является вашим повседневным занятием). Либо преодоление препятствия, которое ранее казалось вам невозможным, и т. д.

Другой вариант — выполнение упражнений, в ходе которых вы *искусственно вызываете у себя сильный всплеск энергий*. Примером является упражнение «Я есть сила!», которое приводится в Методике формирования событий [3, 4, 5].

Займемся энергетической гимнастикой. Более стабильный способ повысить свою энергетику — это занятия специальной восточной гимнастикой, которая получила название «цигун». В самом названии этого вида физических упражнений изначально заложена информация о том, что они работают с энергией *ци* (то есть с эфирными энергиями).

Эта гимнастика представляет собой комплекс специальных физических упражнений, которые выполняются в спокойном плавном ритме. Но все это происходит в воображаемой вязкой энергетической среде, и в ходе некоторых упражнений приходится буквально зачерпывать эту энергию из окружающей среды и направлять ее к себе или от себя.

Длительное занятие практиками цигун приводит к развитию феноменальных способностей, например к уменьшению собственного веса в десятки раз. Так, выпускной экзамен в некоторых школах цигун состоит в том, что преподаватели берут в руки длинную

(3–4 метра) полоску обычной бумаги и туго натягивают ее. А выпускники школы по очереди становятся на эту полоску и идут по ней. Если ты прошел по бумажке и не порвал ее — экзамен сдан. Если бумажная лента порвалась — иди, позанимайся еще с годик. Причем экзамен сдают не дети, а вполне взрослые дяди, которые должны бы весить килограммов 60–80.

Конечно, такой эффект достигается только в результате многолетних и профессиональных занятий энергетическими техниками, большинству людей они ни к чему. Но использовать упражнения из этой гимнастики может каждый, под руководством тренера или даже с помощью учебного видеофильма на видеокассете.

Нужно сказать, что у этой гимнастики нет какого-то определенного и однозначного набора упражнений. В Китае существует множество школ, каждая из которых использует свои собственные упражнения. Но, поскольку все они работают с энергиями *ци*, они получили общее название школ цигун. А дальше уже идет более подробное указание, какая именно это школа.

Еще одной мощной школой, работающей сразу со всеми телами человека, является *индийская йога*. Она содержит в себе техники работы с физическим телом (хатха-йога), техники энергетической зарядки (пранаяма) и другие составляющие. В полном виде йога представляет собой образ жизни, который вряд ли может быть рекомендован для массового применения. Но отдельные части йоги вполне могут использоваться для развития физического тела и энергетической зарядки организма.

Кроме того, на Востоке разработано множество школ боевых искусств — карате, тейквондо, кунфу и прочие. Все они наряду с физическим телом работают и с внутренними энергиями. Но поскольку это действительно боевые искусства, то они нужны далеко не всем. Хотя задачу оздоровления физического и энергетического тела они решают отлично.

Попросим у Природы. Существуют и другие, более легкие способы получения энергии из окружающей среды. Например, само по себе пребывание на природе, общение с землей, деревьями, солнцем, ветром, является мощным процессом зарядки организма. Конечно, если при этом вы наслаждаетесь природой, а не пережевываете в голове очередную обиду.

Об использовании специальных техник получения дополнительных порций энергии от Природы с помощью мыслеобразов мы еще поговорим. Здесь лишь заметим, что само по себе периодическое пребывание в естественной природной среде (путешествия, рыбалка, дача) и работа на земле дают мощную энергоподпитку. Особенно действенно это для городских жителей, живущих в искусственно созданной среде и лишенных общения с живой Землей.

Некоторые природные элементы явно взаимодействуют с нашей энергетикой, даже независимо от нашей воли или сознания. Например, хорошо известно, что *осиновое полено* (доска, щепка) *оттягивает из нас лишнюю энергию*. Поэтому ее издавна прикладывали к месту воспаления (больному органу), чтобы она вытянула из человека болезнь.

Другие деревья являются источником энергии для человека, отдают свою энергию людям — это береза и дуб (желательно живые и растущие). Если прислониться к ним на полчаса, то вы явно почувствуете себя намного лучше — уйдет усталость, вы станете спокойнее и увереннее в себе.

Подобный же эффект оказывают некоторые минералы, но при небольшом размере камня трудно получить от него сколь-нибудь ощутимую порцию жизненных сил — это ощущают только высокочувствительные натуры.

Попросим у других. У Земли можно занимать любое количество жизненных сил — от нее не убудет, слишком велика она по сравнению с каждым из нас. Но, кроме Природы, можно пользоваться и другими внешними источниками энергии. Речь здесь не идет о вполне распространенных способах займа жизненных сил у других людей через сочувствие или скандалы. Но иногда все же удается получить энергию от другого человека с его полного согласия.

Например, некоторые *целители лечат больных своими собственными жизненными силами.* Обычно это люди, обладающие сильной, мощной энергетикой, которой им хватает для восстановления жизненных сил нескольких больных людей в день. Но даже самый мощный человек, работающий только на собственной энергии, рано или поздно выдыхается. Обычно у целителей это происходит через год-два работы, после чего у них либо пропадают способности к исцелению, либо они сами заболевают.

Но существуют и другие источники, из которых можно черпать жизненные энергии для своего исцеления в любых необходимых объемах.

Подключимся к эгрегору. В предыдущих работах мы подробно рассказывали об эгрегорах — больших энергетических резервуарах, существующих в Тонком мире [2, 4, 8]. В эгрегорах концентрируются энергии, которые люди сами выделяют во время своих размышлений и эмоциональных переживаний.

Эгрегоров существует огромное множество, и, конечно, далеко не все из них годятся для поправки нашего здоровья. Для избавления от болезней люди обычно обращаются к довольно высоким религиозным эгрегорам.

Можно обратиться к религиозному эгрегору. Делается это самыми разными способами. Можно *обратиться к священнику или монаху*, чтобы он помолился за ваше здоровье. Если он делает это достаточно долго и усердно, то может избавить человека практически от любого заболевания (более подробно об этом читайте в [8]).

Простая подача в церкви записок с именами «о здравии» обычно не помогает — слишком мало времени уделяет священник именно вашей особе. Для реального излечения нужен отдельный молебен «о здравии» продолжительностью 5–10 часов, а то и больше. Естественно, больной при этом должен хотеть выздороветь. В результате такого молитвенного «заказа» на больного направляется мощный энергетический поток, который буквально вышибает из его эфирного, а затем и из физического тела все искажения и воспалительные процессы и возвращает больному здоровье.

До революции в России существовала целая прослойка людей, которые только и делали, что молились за больных, часто круглосуточно. Это были не священники или монахи, а люди, выполняющие эту работу за оплату, поэтому эффективность их молитв была не очень высока. Но это было все же лучше, чем ничего. Сегодня эта традиция утеряна, поэтому целительские возможности религиозного эгрегора почти не используются.

Другой способ обращения к религиозному эгрегору — это *исступленная молитва*, в которой вы просите Бога или какого-то святого помочь вам. Если вы делаете это достаточно долго и эмоционально, то ваша просьба может быть услышана и вы получите мощный энергетический поток от своего религиозного эгрегора. Но такая помощь обычно приходит к людям истинно верующим и с усердием выполняющим все ритуалы своей религии. Христиане таким образом получают помощь от христианского эгрегора, буддисты — от буддийского, мусульмане — от мусульманского, и т. д. Атеистам этот способ помогает довольно редко, да они и не будут обращаться к Богу, разве что ситуация станет критической, бывает и так.

Примерно то же делают **разного рода целители**, которые обращаются за энергией к Высшим силам (обычно к Богу). Они являются своего рода «каналами», через которые целебные энергетические потоки проходят на больного человека, иногда сразу на многих (массовые сеансы).

Почему и как именно это происходит, точно не знает никто. Существуют разные версии, ни одна из которых не может быть доказана. Иногда способности к исцелению даются людям, которые вовсе не желали этого. Тем не менее им пришлось заняться этим, поскольку все остальные виды деятельности им попросту блокировались.

Рейки. В последние годы получила широкое распространение система исцеления больных путем наложения на них рук.

Собственно, практика исцеления путем наложения рук и передача больному части своей энергии была известна еще несколько тысяч лет тому назад. В Древнем Египте жрецы использовали этот метод. В Греции в храмах Асклепия использовался метод «целебного касания». Иисус Христос исцелял больных путем прикосновения, раннехристианские священники тоже лечили больных наложением рук. В Европе целебным считалось прикосновение королевских рук. Правда, здесь скорее всего срабатывал другой механизм излечения — за счет веры пациента в целебные свойства королевского прикосновения.

В XX веке она была возрождена японским врачом, профессором Микао Усуи. Разработанная им методика целительства путем наложения рук на больного человека получила название «рейки» [35].

Изначально рейки была чисто целительской системой, когда инициированный в нее человек накладывал на больного руки и пропускал через себя потоки энергии (естественно, эфирного плана) и тем самым исцелял больного. Но со временем эта система усилиями европейских Мастеров была значительно расширена, и сегодня можно слышать о том, что с помощью рейки занимаются формированием событий, привлечением денег, влиянием на других людей и т. д. Так что сегодня понятие рейки довольно сильно размыто, и появились самые разные версии того, чем можно заниматься по этой системе.

По отзывам специалистов, практикующих рейки для исцеления пациентов (такое встречается редко, в основном все занимаются инициацией друг друга), эта технология исцеления дает явный, но довольно кратковременный эффект. После нескольких сеансов рейки болезнь отступает, но возвращается через полгода или через год. Понятно, что если ее корень лежит не в истощении энергетического тела, то так и должно быть. Если причина болезни лежит в сфере эмоций или ментала, то принудительное выравнивание энергопотоков с помощью сеансов рейки даст положительный эффект. Но как только сеансы заканчиваются, неустраненная причина вновь начинает оказывать мешающее влияние на энергопотоки, и болезнь возвращается.

Используем технику. Еще один источник дополнительной энергии — это технические устройства. Современные электронные устройства способны буквально вгонять в наш организм огромные порции электромагнитных волн в самом разном частотном диапазоне. Понятно, что это не колебания эфирного плана, но при правильном подборе частот явный эффект от них имеется. Об этом мы подробнее расскажем несколько позже.

На этом, пожалуй, мы закончим рассмотрение систем и способов поддержания наших энергопотоков в нормальном состоянии и подведем очередные итоги.

Итоги

1. Когда вы выявили и перекрыли каналы излишней утечки эфирных энергий, то стоит позаботиться о том, чтобы ваш организм стал более энергично выполнять свои функции — через закаливание, энергетическую гимнастику, физические упражнения или путем достижения высокоэмоциональных состояний.

2. Другой способ получения дополнительной энергии — это попросить ее напрямую у Бога или получить через целителей. В данном случае энергия приходит к вам из вашего религиозного эгрегора.

3. Существует специальная методика получения энергетического потока, преимущественно из эгрегора буддизма, проходящего через целителя к больному человеку и исцеляющего последнего. Эта методика называется рейки.

Поработаем с мыслеобразами

В этой главе мы продолжим рассмотрение способов управления своей внутренней энергетикой. Но здесь мы обратимся к еще одному очень мощному инструменту — нашему воображению.

Все подчиняется воображению. Оказывается, наше тело исполняет все то, что мы представляем себе.

Точнее, даже не наше физическое тело, а как раз наше эфирное тело.

Именно на этом принципе построены почти все магические и экстрасенсорные практики — *мы представляем себе что-то, этот образ реализуется из тонких материй и выполняет поставленную перед ним задачу.*

Конечно, в большинстве случаев в этих операциях используются более тонкие астральные энергии, но и энергии эфирного плана хорошо подчиняются нашему воображению.

Тест на управление внутренними энергиями. Вы можете сделать простой тест. Сосредоточьте на несколько минут свой внутренний взор на какой-то точке своего тела, например на кончике носа. Или на «третьем глазе» — точке на лбу чуть выше середины переносицы.

Если вы сумеете это сделать, то *вы что-то почувствуете — давление, вибрации, щекотание, тепло или что-то еще.* Вы собрали в этой точке пучок своей эфирной энергии, но не дали команду, какую форму ей нужно принять, поэтому она проявляет себя как может.

Если вы теперь дадите себе четкую установку: «Я чувствую тепло в кончике носа» и сосредоточите на нем свое внимание, то через две-три минуты у вас там действительно потеплеет. Вы дали команду, и ваша внутренняя энергия вызвала ощущение тепла.

Это говорит о том, что мы легко можем посылать энергию в любую точку нашего организма, заставлять ее принимать любую форму, перемещаться по нужным нам траекториям. Все это дано нам от рождения.

Боль помогает выздоровлению. А что происходит в теле в точке концентрации внутренней энергии? Там более интенсивно проходят процессы жизнедеятельности — энергии ведь в избытке. Нужно отметить, что наш организм активно пользуется этой особенностью для привлечения дополнительной энергии в заболевший орган. Как он это делает? Через боль. Ведь если у нас что-то болит, мы поневоле все время обращаем свое внимание на это место. То есть *направляем туда дополнительные жизненные силы,* которые помогают побыстрее выздороветь этому органу.

А что происходит, когда мы принимаем обезболивающие лекарства? Мы убираем ощущение боли и одновременно лишаем это место дополнительных жизненных сил, то есть затягиваем процесс выздоровления.

Лечимся сами. Собственно, этот же подход можно использовать для притягивания энергий в ту точку организма, которая не болит, но требует дополнительной подпитки — например, лысеющая кожа головы. Если вы будете ежедневно проходить внутренним взором по коже своей головы, то вы дадите ей вспомогательную энергоподпитку изнутри. Если дополнить ее еще и снаружи — самомассажем (только руками!), то кожа станет более живой и из нее обязательно полезут новые волосы. Но делать это нужно ежедневно и минут по 10—15, а у нас на это обычно не хватает времени.

Если же вернуться к общим вопросам, то нужно сказать, что существует несколько подходов к использованию мыслеобразов для управления своей энергетикой и избавления от заболеваний. Рассмотрим некоторые из них.

Набор энергии с помощью мыслеобразов. Существует множество упражнений, в ходе которых мы представляем себе, как к нам от какого-то внешнего источника (Солнца, Космоса, гор, дерева и т. д.) приходит поток чистой светящейся энергии и заполняет наше тело. Подобное упражнение под названием «Хрустальный сосуд» приводится в Методике формирования событий [3, 4, 5]. Но в принципе похожие упражнения можно найти у любого автора, пишущего на подобную тему.

Принцип построения таких упражнений очень прост: вы закрываете глаза и представляете себе, как из какого-то источника в вас через трубу (воронку, лучик и т. д.) поступает поток светящейся энергии, который заполняет все ваше тело. Вы смело можете сами придумать себе такое упражнение, и оно будет отлично заряжать вас жизненными силами.

Заряжаем чакры. Другой вид упражнений — это зарядка энергией из окружающей среды через чакры. Согласно индийской йоге, внутри каждого из нас имеются энергетические образования — чакры, через которые наш организм получает энергию непосредственно из окружающей среды. Основных чакр у нас семь, и вроде бы имеется множество второстепенных. Месторасположение чакр многократно описано, поэтому мы не будем его повторять [2, 4, 6]. В нормальном состоянии чакра должна быть «открыта» и вращаться по часовой стрелке, если смотреть снаружи.

Значит, чтобы заряжаться энергией через чакры, нужно представить себе эти вращающиеся воронки, которые захватывают энергию во внешнем мире и засасывают внутрь вас. Понятно, что представлять себе одновременно семь (а то и четырнадцать, если брать и воронки на задней части тела) вращающихся воронок — фокус не для среднего человека. Поэтому представляйте себе их по очереди, как получится. Если она не захочет вращаться, то как-нибудь все же раскрутите ее (как штурвал корабля, с помощью воображаемого электромотора и т. д.). Если вам это удастся, то вы отлично подзарядите свое тело через эти естественные энергетические центры.

Создаем энергопотоки. Следующий вид упражнений с использованием мыслеобразов — это создание разного рода энергопотоков, которые проходят внутри вас или сквозь вас и одновременно раскачивают вашу собственную энергетику.

Мысленные модели здесь могут быть самые разные. Мы уже приводили ранее несколько вариантов самых распространенных моделей протекания энергий внутри нас.

Согласно восточной философии, энергии протекают внутри нас по 12 меридианам, а с внешним миром мы общаемся через чакры. Эта модель получила очень широкое распространение, но непосредственно работать с ней с помощью воображения очень сложно — кто из нас сможет представить себе хотя бы один канал, который проходит через руки, ноги, по поверхности туловища спереди и сзади. А два или три канала сразу?

В общем, с этой моделью работать с помощью воображения неудобно, поэтому были предложены более простые модели. Например, Мантек Чиа предложил свою Микрокосмическую орбиту, Д. Верещагин — восходящий и нисходящий потоки [15, 17]. Естественно, этим не исчерпываются все возможные модели движения энергии внутри нас. Вы сами можете представить себе некий энергопоток, протекающий внутри вас, и он будет прекрасно решать те задачи, которые вы перед ним поставите. Но это будет ближе к следующему типу приемов.

Специальные упражнения. Некоторые авторы предлагают специальные упражнения по управлению внутренними энергопотоками, в том числе направленные на избавление от какой-то конкретной болезни.

Коротко их суть сводится к следующему. Сначала *нужно научиться вызывать в любой точке своего организма ощущения тепла, покалывания и холода* [26—28]. Для этого можно использовать любые образы. Например, для получения ощущения тепла можно представить себя на пляже в жаркий летний день, либо возле жаркого костра, либо возле горячей батареи. Для получения ощущения холода можно представить себе падающий на ваше тело снег, корочку льда на поверхности тела (или внутреннего органа) или что-то подобное.

Затем *нужно научиться перемещать точку тепла* (покалывания, холода) в любое место своего организма и заполнять этими ощущениями части тела (руки, ноги, живот и т. д.).

Овладев этими несложными техниками, можно будет начать выполнять более сложные упражнения. Например, нужно будет представить в больном органе светящуюся точку и с ее помощью «почистить» этот орган, представляя себе перемещение этой точки вправо-влево, вперед-назад и вверх-вниз, либо закручивая и раскручивая из нее спираль. И все это нужно будет проделать три раза — через ощущения тепла, покалывания и холода.

Далее следуют еще более сложные упражнения, когда вы свою светящуюся точку перемещаете внутри тела по определенной траектории. Например, начинаете со стопы левой ноги, потом переводите внутренний взор в солнечное сплетение, затем в горло, на кончик носа, на затылок, затем возвращаетесь по этому же маршруту в исходную точку. И все это проделывается для ощущений тепла, покалывания и холода.

Здесь приведена примерная траектория движения точки концентрации внутреннего взора, на самом деле их может быть множество. Перемещая с помощью воображения энергии внутри себя, можно очень неплохо раскачать свою энергетику и справиться со многими заболеваниями.

Конечно, если причина заболевания лежит в эмоциональном или ментальном теле, то это заболевание рано или поздно вернется, поскольку мы убрали его проявления только в энергетическом теле. Но и этот эффект является очень желанным, особенно если вы одновременно работаете и со своими высшими телами.

Лечимся и лечим. Этот же подход можно использовать и другим путем — управляя внутренними и внешними энергопотоками. Для этого нужно представить себе, что у вас *из ладони правой руки выходит мощный поток энергии.* А затем нужно наложить эту ладонь на больное место (или гладить ею больной орган по часовой стрелке). Очень скоро боль ослабеет и больной орган успокоится — он получил порцию дополнительной энергии из вашей ладони. Конечно, однократная процедура может дать лишь временный эффект, но при длительном использовании этого приема можно получить устойчивый результат. Например, поглаживание двумя руками своего живота по часовой стрелке на выдохе — это одно из упражнений системы цигун.

Этот же прием можно использовать и *для лечения других людей.* То есть вы накладываете свою ладонь, источающую тепло, на другого человека и тем самым подпитываете его больной орган. Но в данном случае вы используете только свою собственную энергию (а не эгрегора), и ее может оказаться совсем немного. Поэтому заниматься подобным лечением других людей мы категорически не советуем (нужна специальная защита, чтобы не подхватить болезни от пациента и т. д.), а просто привели этот способ в качестве примера того, что наше тело исполняет все наши желания (или почти все).

Наверное, можно найти еще много мест приложения способности организма реализовывать наши мыслеформы.

Дышим через больной орган. Еще одна древняя йоговская техника — дыхание через больной орган. Чтобы использовать этот метод, нужно сосредоточиться на больном органе и мысленно представить себе, что *вы вдыхаете и выдыхаете воздух через этот орган*. Естественно, в реальности вы будете дышать как обычно. Но мысленно вы будете представлять себе, как потоки энергии входят в ваш орган вместе с вдохом и омывают его, наполняя его силой и здоровьем. На выдохе вы будете представлять, как грязные энергии уходят из органа наружу.

Это упражнение имеет множество модификаций. Например, можно *только выдыхать* через орган, а вдыхать как обычно. Тогда вы явно почувствуете, как *на каждом выдохе орган будет наполняться теплом и энергией.* Для усиления эффекта можно поставить перед собой свечку и представлять, как выходящие из вашего органа «плохие» энергии тут же сгорают в пламени свечи, вместе с вашей болезнью.

Если орган нужно охладить, тогда *вы вдыхаете через него,* а выдыхаете, как обычно, через рот или нос. Тогда вы явно ощутите, как на каждом вдохе в ваш больной орган поступает волна прохладной и чистой энергии, которая охлаждает его и подавляет все воспалительные процессы.

Это в чистом виде работа с энергиями эфирного плана с помощью воображения, в которой для усиления эффекта используется процесс дыхания. Техника очень эффективная и входит составной частью во многие восточные системы оздоровления.

Требуется воображение. В применении этих приемов существует несколько ограничений.

Первое — чтобы управлять внутренними энергиями, их нужно иметь. А если вы энергетически истощены, то, что вы себе ни представляйте, толку не будет — у вашего эфирного тела нет ресурсов для выполнения ваших команд.

Второе. Чтобы хорошо выполнять подобные упражнения, нужно иметь развитое воображение, а оно имеется далеко не у всех людей.

Собственно, это все. Если вы не попадаете под эти ограничения, то пользуйтесь этими приемами на здоровье. Но не преувеличивайте их эффективность — это не очередная панацея. Они могут дать быстрый эффект, но если причина болезни лежит выше, то он будет недолгим.

А мы на этой радостной мысли переходим к итогам.

Итоги

1. Наше воображение является мощным инструментом, управляющим нашими внутренними энергиями. Сосредоточивая свой внутренний взор в какой-то точке организма, мы посылаем туда поток жизненных сил.

2. Для повышения эффективности работы с мыслеобразами нужно научиться вызывать у себя ощущения тепла, покалывания и холода в любой точке организма или в любом органе.

3. С помощью мыслеобразов можно получать энергию от любого подходящего внешнего объекта — от Солнца, Луны, ветра, гор, дерева, водоема и т. д.

4. Можно представить себе различные энергетические потоки, протекающие только внутри вас или внутри и вовне вас. Эти потоки будут заряжать ваше энергетическое тело.

5. Для лечения внутренних органов используются упражнения, в ходе которых внутренние энергии с помощью воображения перемещаются по любым точкам организма, по любым заданным траекториям.

6. Техники использования мыслеобразов могут давать сбои в нескольких случаях — когда у вас нет внутренних энергий, когда у вас совершенно не развито воображение или когда вам лень выполнять эти упражнения.

ПОДЫШИМ ОТ ДУШИ

В этой главе мы рассмотрим еще один очень распространенный способ повышения своей энергетики — это использование дыхательных практик.

Вдыхая воздух, мы одновременно загружаем в себя живительную энергию *ци* (*прану*), которая рассредоточена вокруг нас. Чем более чистый и свежий воздух, тем больше в нем энергии *ци*. И почти совсем ее нет в грязном воздухе, полном выхлопных газов автомобиля или промышленных выбросов.

Эта энергия усваивается у нас в организме в легких. Значит, *меняя режим дыхания, можно изменить интенсивность усвоения этой самой жизненной энергии.*

Вариантов изменения режимов дыхания существует несколько, но их все можно свести к следующим:

- интенсивное дыхание;
- дыхание с задержкой на вдохе или выдохе;
- ограничение дыхания.

Все эти способы активно используются в самых разных оздоровительных методиках. Рассмотрим их по очереди.

Интенсивное дыхание. Если начать дышать быстро и глубоко, то поневоле начнешь пропускать через себя большое количество воздуха и содержащейся в нем энергетической субстанции.

На физическом плане интенсивное дыхание приводит к перенасыщению организма кислородом, вследствие чего происходит небольшое отравление продуктами его переработки в легких. Эта особенность интенсивного дыхания используется в таких техниках работы с людьми, как *ребефинг* и *холотропное дыхание.*

Внешне работа по этим техникам выглядит примерно так. Под присмотром ведущих люди ложатся на пол и под специально подобранную музыку начинают интенсивно дышать ртом, и так в течение 2—4 часов подряд. В результате самоотравления кислородом возникает измененное состояние сознания, в ходе которого многие люди вновь переживают те стрессы, которые когда-то имели место в их жизни. Тем самым эти *стрессы стираются из эмоционального тела,* поэтому интенсивное дыхание является мощной психотерапевтической методикой. которая к тому же хорошо очищает «сосуд кармы» от накопленных переживаний.

Обычно измененные состояния сознания возникают во время ребефинга далеко не у всех людей. Но даже при полном сознании вы можете ощутить, как ваше тело наливается энергией и буквально стремится оторваться от пола. Руки (иногда и ноги) приподнимаются над полом, и нужно прикладывать немалые усилия, чтобы вернуть их обратно. То есть, похоже, поневоле возникает тот самый эффект уменьшения веса, который является частью практик цигуна.

Интенсивное дыхание используется не только в ребефинге, но и во многих других практиках. Например, в системе медитативных практик Раджниша [36] есть медитация «Чакровое дыхание». Она состоит в том, что под определенную музыку человек дышит по 2 минуты в каждую из семи чакр, и так три цикла, всего 45 минут. Эта медитация может выполняться самостоятельно, поскольку имеется магнитофонная запись с подробными инструкциями, как ее выполнять. Регулярное выполнение этой медитации дает хорошую энергетическую подзарядку организму.

Дыхание с задержками. Другой вид дыхания использует эффект более глубокого усвоения организмом попавшей в легкие порции воздуха во время задержки дыхания. Задержка делается обычно на вдохе — то есть вы делаете медленный глубокий вдох и задерживаете выдох на несколько секунд, потом так же медленно выдыхаете. Затем этот цикл повторяется заново.

Дыхание с задержками на вдохе, когда равны длительности вдоха, задержки и выдоха (дыхание по треугольнику), является основной практикой прана-йоги [37]. Для начинающих йогов рекомендуется выбирать длительность каждой составляющей 6–8 секунд, а практикующие йоги могут иметь длительность вдоха, задержки и выдоха по минуте и даже более. В йоге дыхание делается в несколько этапов. На вдохе воздух сначала должен заполнить брюшную полость, потом среднюю часть груди и затем верхнюю часть. При выдохе воздух выходит в обратной последовательности.

Такое дыхание является мощной техникой, позволяющей *повысить энергетический потенциал организма* и тем самым повысить его защитный потенциал. Ее несомненным достоинством является то, что она не требует специального помещения, инструктора, музыки и других атрибутов. Задержки дыхания можно проводить в любом месте, даже лежа в постели. Но лучше это делать с утра, поскольку выполнение этого упражнения перед сном может перевозбудить вас и надолго отогнать сон.

Ограничение дыхания. Совершенно иное мнение относительно оздоравливающего дыхания высказал российский врач К. П. Бутейко. Он предположил, что причиной большинства наших заболеваний является избыток кислорода и недостаток углекислого газа в крови. А при недостатке углекислого газа возникает нарушение обмена веществ со всеми вытекающими последствиями. Поэтому, чтобы избавиться от болезни, нужно дышать как можно реже и мельче.

Он разработал специальный метод ограничения дыхания, который называется *Метод волевой ликвидации глубокого дыхания* (ВЛГД) [38, 14].

ВЛГД — это метод последовательного расслабления дыхательной мускулатуры (диафрагмы) до появления ощущения нехватки воздуха и последующего постоянного сохранения этого состояния на протяжении всей тренировки.

Метод осваивается под наблюдением инструкторов по специальным этапам, при этом постоянно проводятся контрольные паузы (задержки) в дыхании, позволяющие оценить, правильно ли вы его усвоили.

Что интересно, одним из обязательных элементов использования метода является подробное изучение его теоретического обоснования.

Нужно сказать, что если у вас нет противопоказаний, метод может действительно дать замечательные результаты. По методу К. П. Бутейко излечиваются любые заболевания, связанные с органами дыхания (астма и пр.), заболевания желудочно-кишечного тракта и многие другие. Собственно процедура излечения состоит в том, что больной под присмотром инструктора на несколько часов в день уменьшает глубину своего дыхания. Иногда лечение дает сильное обострение болезни, которое рекомендуется снимать медикаментами. Но после обострения обычно наступает резкое улучшение самочувствия.

Нужно сказать, что идеи метода К. П. Бутейко в корне расходятся со множеством других общепризнанных методик исцеления, основанных на глубоком дыхании и использовании воздуха, насыщенного кислородом (горы, хвойный лес). Каков же внутренний механизм действия этого метода?

К. П. Бутейко, как явный материалист, выдвинул биохимическую версию действия метода. Но скорее всего, здесь действует немало и других факторов. То же требование глубокого усвоения теории метода наводит на мысль о *явном использовании самовнушения*. Ведь, казалось бы, бери и дыши неглубоко, при чем тут теория? Нет, без усвоения теории выздоровление идет плохо.

Мы знаем, что для быстрого выздоровления необходимо активизировать защитную (иммунную) систему организма. Скорее всего, это и происходит при ограничении дыхания. Когда организм видит, что количество воздуха и поступающая с ним энергия уменьшаются и шансов вернуться к прежнему состоянию нет, то он *включает внутренние механизмы выживания*. В том числе избавления от лишних потребителей жизненных сил, которыми являются очаги заболевания. Похоже, что организм сам подавляет болезнь, чтобы не расходовать на нее и так ограниченное количество жизненных сил. Этот механизм очень похож на процессы, происходящие в человеке при длительном голодании, когда прекращается подача энергии извне вместе с пищей.

Пользуемся вспомогательными приборами. Понятно, что добровольно использовать метод К. П. Бутейко сможет далеко не каждый человек. Запретить себе вдыхать воздух на несколько часов может только очень волевой человек. Или тот, кто измучен болезнью и готов на все ради выздоровления.

Поэтому В. Фролов разработал специальный прибор (тренажер Фролова), который позволяет ограничивать поступление кислорода в кровь более гуманными методами [38]. Он состоит из двух пластиковых камер, вставляемых одна в другую, и отходящей от них трубки, которую вы берете в рот и дышите через нее. В тренажер наливается немного воды, и он готов к работе.

Вдох и выдох производятся через тренажер, который с помощью специальных клапанов создает затруднение для дыхания, поэтому при вдохе давление в легких уменьшается, а при выдохе — увеличивается. Кроме того, при вдохе мы втягиваем в себя часть углекислых газов из предыдущего выдоха, то есть всячески уменьшаем содержание кислорода во вдыхаемом воздухе.

При работе с прибором используется специальный вид дыхания, который получил название «эндогенное». Он заключается в *максимально коротком вдохе и максимально длинном выдохе.* Но так выглядит начальная стадия овладения тренажером, а потом дыхание еще более усложняется. Выдох еще более растягивается и переходит в серию микровдохов длительностью 1–2 с и микровыдохов длительностью 5–6 с каждый.

Сам В. Фролов способен после вдоха выдыхать эту порцию воздуха микровыдыхами в течение 30 минут. Поскольку человек реально не может после одного вдоха выдыхать 30 минут, то, делает вывод В. Фролов, он сам производит воздух в своих легких! Смелая гипотеза, но скорее всего фантастическая. Мы уже рассказывали, что йоги умеют задерживать дыхание на несколько часов, и при этом, видимо, получают энергетическое питание из окружающей среды через чакры. Скорее всего, у В. Фролова имеют место какие-то подобные процессы, которым он пытается найти свое объяснение.

Как бы то ни было, тренажер В. Фролова излечивает десятки самых сложных заболеваний. Сам он избавился с помощью эндогенного дыхания от рака прямой кишки и помог излечиться множеству людей. Тренажер продается в аптеках, поэтому вам не составляет никакого труда проверить его действие на себе.

Все от головы. Конечно, мы рассмотрели далеко не все виды дыхательных техник, предлагаемых разными школами. Есть еще дыхание Стрельниковой, рыдающее дыхание и многое другое. Но вы уже сами можете оценить, на каком принципе построены эти техники — на более интенсивном дыхании, на более интенсивном усвоении того, что вы вдохнули, или на ограничении дыхания. И *выберите себе то, что вас больше устроит*, поскольку *все они дают один и тот же результат* — вы выздоравливаете, если занимаетесь ими целенаправленно и увлеченно.

Но что интересно, как и в случае с питанием, разные школы могут давать совершенно противоположные рекомендации для выздоровления (дыши, не дыши). А помогают те и другие, *лишь бы они были для вас убедительны*. Здесь еще раз подтверждается идея о том, что организм может выздороветь как от избытка, так и от недостатка воздуха, лишь бы мы дали ему соответствующую команду достаточно убедительно. Убедительно для себя. Ну а мы пока что перейдем к очередным итогам.

Итоги

1. Вместе с воздухом мы получаем из окружающей среды эфирную энергию. Изменяя режим дыхания, можно увеличить интенсивность получения этой энергии.

2. Традиционным способом является увеличение продолжительности и глубины дыхания — это практика йоги и других восточных школ.

3. Можно предельно ускорить процесс дыхания — тогда произойдет процесс самоотравления орга-

низма кислородом. Эта практика очень хорошо помогает очистить эмоциональное тело от накопленных ранее стрессов и подзарядить эфирное тело.

4. Можно ограничивать дыхание разными способами, и это тоже ведет к резкому самооздоровлению организма.

5. Скорее всего при ограничении дыхания мы запускаем инстинктивную программу организма на выживание, и он стремится избавиться от болезней как дополнительных потребителей жизненных сил.

Прогоним незваных гостей

В этой главе мы хотим затронуть вопрос, относительно которого имеются самые противоречивые сведения. Речь идет о тех самых астральных и эфирных сущностях, которые «подселяются» в энергетическое тело человека и паразитируют на нем, нанося ущерб нашему здоровью и психике.

Существуют ли бесы? Согласно некоторым христианским идеям, любую болезнь можно рассматривать как подселение в тело человека некоего «беса» — в нашей терминологии это энергетическая сущность. Священники, которые берутся за лечение, занимаются изгнанием из организма «бесов болезни». В рамках этой системы взглядов существуют бесы алкоголизма, наркомании и других болезней.

Некоторые целители работают только в рамках такой модели болезни и занимаются только изгнанием этих сущностей [40]. Другие рассматривают их лишь как один из возможных факторов, приводящих к заболеванию.

Нужно сказать, что эта система взглядов имеет некоторые практические подтверждения.

Во-первых, это многочисленные фотографии различного рода полупрозрачных амебоподобных существ. Подобные фотографии обычно получаются случайно, и часто их принимают за брак печати или пленки. На самом деле, если делать серию снимков, то на них видно, как это амебоподобное существо перемещается в пространстве — цикл фотографий браком печати объяснить уже сложно.

Во-вторых, техники биоэнергетического лечения часто построены на том, что биоэнерготерапевт руками что-то вытягивает из тела больного человека и тут же сжигает на пламени свечи. Поскольку это обычно помогает, даже если мы сомневаемся в его способностях, то, похоже, он действительно что-то вытягивает.

В-третьих, это случаи действительного изгнания чего-то из организма, после которых человек резко выздоравливает. Обычно процесс изгнания сопровождается довольно неприятными явлениями — судорогами, спазмами, рвотой и т. д.

В системе ДЭИР тоже признается наличие энергетических «подселенцев» и приводятся приемы борьбы с ними с помощью мыслеобразов [17]. Поэтому в принципе трудно закрывать глаза на такие факты и утверждать, что этого нет и не может быть.

Может, их нет? С другой стороны, если рассматривать восточные оздоровительные и целительские системы (йога, цигун, аюрведа, рейки и пр.), то там никаких самостоятельных эфирных сущностей не существует (во всяком случае, нам ни разу не попадались упоминания о них). Есть энергии, которые протекают в теле человека и с которыми нужно работать (*прана, ци, инь* и *янь* и пр.). Если энергий мало или они не те, что нужны (вместо энергии «земли» много энергии «огня», и т. п.), то орган заболевает. Стоит выправить энергетические потоки, как орган выздоравливает. Такова основная логика оздоровления восточных школ, и бесам в ней нет места.

Поэтому возникает естественный вопрос — существуют эти самые сущности в реальности или это последствия чрезмерного воображения отдельных, избыточно впечатлительных наших соотечественников?

Откуда корни. Откуда берутся корни идеи о наличии энергетических сущностей, понятно. Они явно вытекают из языческой веры, которая была распространена на Руси до прихода христианства. Люди молились многочисленным богам, а в окружающем мире жило множество «нечисти» — разного рода домовых, леших, кикимор, водяных, оборотней, ведьм и т. д. [40]. Причем эти обитатели не были всего лишь персонажами сказок — *они реально присутствовали в жизни людей*. Они пугали животных, прятали мелкие вещи, наводили беспорядок в доме, издавали разные звуки и всякими другими способами подтверждали свое существование. Поскольку эти эфирные сущности были ориентированы на сельский уклад жизни, то с развитием цивилизации и урбанизации они скорее всего либо повывелись, либо изменили форму существования (например, на так называемый полтергейст).

В общем, сомневаться в том, что эти существа имели место, вряд ли приходится. Но тогда подтверждается версия о возможном влиянии этих сущностей на людей.

Все едино. Почему же так различаются описания процессов заболевания в западном и восточном подходах?

Нам представляется, что это *разные способы описания одного и того же явления*. Ведь любое завихрение или застой энергопотока, который ясновидящие воспринимают как темное пятно в ауре, при желании можно признать отдельной энергетической особью, решающей свою задачу (обычно это задача выживания за счет наших ресурсов). А когда это завихрение рассасывается или перемещается в другое место, то можно говорить, что эфирное существо ушло или переместилось в другое место.

В общем, эта идея тоже имеет право на существование, поэтому нужно посмотреть, что же можно использовать для изгнания из нас этих самых энергетических сущностей. Здесь, видимо, можно опираться на религиозный и народный опыт.

Что можно сделать с эфирными сущностями, которые могут как-то повлиять на ваше здоровье? Нужно сделать так, чтобы *они держались от вас подальше.*

Используйте благовония. Традиционно для этого используют окуривание благовониями и колокольный звон. При испарении ладана или при сжигании благовоний (благовонных палочек или испарения ароматического масла) воздух насыщается множеством микроскопических частиц, которые делают сложным передвижение эфирных сущностей — они оказываются в вязкой среде, где им сложно перемещаться. Поэтому вы смело можете использовать ароматизацию помещения или даже окуривание больного для борьбы с этими существами.

Изгоняем ненужных подселенцев. Некоторые авторы считают, что встречающиеся у человека вирусные заболевания или заболевания, связанные с наличием вредных микроорганизмов в крови или кишечнике (вирусы, бактерии, грибки и пр.), есть *материальное проявление живущих там энергетических паразитов.* Это совсем примитивные энергетические существа, подобные клещам или пиявкам, которые каким-то путем попадают в наш организм и паразитируют на нем. Скорее всего попадают к нам они в моменты нашей слабости, когда организм истощен и не имеет возможности защищаться от нападения.

Эта идея имеет под собой некоторые основания. Например, еще в середине XX века французский биолог Гастон Нэнсенс, исследуя кровь, обнаружил мельчайшие субклеточные организмы, которые он назвал «соматоиды». Наблюдая за их жизнедеятельностью в очень мощный микроскоп, он обнаружил, что *при изменении внешних условий соматоиды могут принимать шестнадцать различных морфологических форм в диапазоне от бацилл до спор, и от спор до грибков!* [30]. То есть один и тот же микроорганизм может быть и бациллой, и спорой, и бактерией, и грибком! Похоже, что *полевое существо придает своему материальному телу различную форму в зависимости от изменения внешних обстоятельств!* Оно выбирает, в какой из форм ему легче всего существовать в нашем организме в настоящий момент, и принимает эту форму. Человек только мечтает научиться менять свое тело в зависимости от обстоятельств, а оказывается, что внутри себя мы уже имеем таких обитателей. Подобные наблюдения имели и другие ученые, но пока их результаты не получили признания.

Современная наука рассматривает каждый вид микроорганизмов в отдельности и на этом строит свою систему борьбы с ними. Таков подход материалистов, которые не допускают существования полевых форм жизни и изменения формы материального тела. А жизнь, как мы видим по самым разным ее проявлениям, штука очень сложная, и в ней можно найти все что угодно. В том числе и изменение формы микроорганизмов, которые подстраиваются под окружающую среду.

Избавляться от микроорганизмов принято сегодня преимущественно медикаментозными способами, применяя сильнодействующие лекарства. Между тем раньше люди очень хорошо защищались от этой напасти, используя растения, в частности чеснок и лук.

В русских избах связки чеснока висели весь год, выполняя две функции. Первая — это хранение чеснока как продукта питания. А вторая — *это защита жилища от эфирных сущностей*. Чеснок очень пахуч, то есть он выделяет в окружающий воздух мельчайшие частицы своего сока, очень неприятные для эфирных сущностей. Похоже, что он может очищать помещение не хуже, чем благовонные палочки или ладан. Многие люди раньше носили с собой головки чеснока, клали его под подушку — все с той же целью отпугивания всяких эфирных паразитов.

Очень неплохо периодически есть чеснок, поскольку в желудке он убивает все вредные микроорганизмы (сам желудок обычно выживает). Либо настоять воду на чесноке и пить ее по утрам [21]. В общем, если чесноком активно пользоваться, то можно создать для эфирных сущностей невыносимую обстановку.

Естественно, с этим нужно быть осторожнее, поскольку в городских условиях вместе с эфирными сущностями можно изгнать от себя и своих родственников, включая самых близких. Или самому быть изгнанным с работы или даже из дому — далеко не все люди могут вытерпеть сильный чесночный дух. Поэтому будьте благоразумны в применении чеснока — этот способ хорош в сельской местности, когда вы работаете на чистом воздухе. А если вы работаете в офисе, то могут возникнуть большие сложности, поэтому лучше воспользоваться более приятными запахами.

Энергетические практики. Поскольку рассматриваемые энергетические паразиты не имеют материальных тел, то воздействовать на них можно только эфирными энергиями. А они, как вы помните, прекрасно управляются нашим воображением, и это нужно использовать.

То есть нужно *подобрать себе упражнение, в ходе которого вы будете очищать свой организм от всякого мусора,* который в нем мог собраться, включая всевозможные сглазы и порчи. Ведь что такое сглаз? Это заряженный отрицательными мыслями сгусток эфирной материи, который послал к вам другой человек, когда испытывал по отношению к вам не очень приятные эмоции. Поскольку этот сгусток прицепился к вам и пытается оказать негативное влияние на вашу энергетику, его смело можно рассматривать как самостоятельного энергоинформационного паразита или того же «беса».

Как можно от него избавиться, если он все-таки прицепился к вам? Ранее мы уже указывали способы очистки от негативных влияний.

Один из них — мощная энергетическая встряска, при которой вы испытываете сильнейшие эмоции (желательно — положительные) [2, 4, 6].

Другой путь — использование мыслеформ, например, с помощью следующего упражнения.

Упражнение «Щит». Представьте, как сквозь ваше тело сверху вниз проходит своеобразный щит, который загребает и выталкивает из вас весь негатив. Всех паразитов этот щит толкает перед собой, как щит бульдозера толкает перед собой отвалы земли. Щит проходит сквозь вас от макушки до пяток и выталкивает всю дрянь вниз, в центр земли, где они сгорают в земной магме. А у вас остается чистое и прозрачное тело, заполненное приятными энергиями.

Это один из приемов, а вы можете придумать множество других. Главное, что нужно выполнять их с удовольствием и не преувеличивать их значение —

это всего лишь один из инструментов на пути к вашему здоровью.

Целители и биоэнерготерапевты. Нужно отметить, что большинство целителей работают как раз с нашим энергетическим телом. Они выравнивают нашу ауру, внося туда дополнительные порции энергии. Или изгоняют оттуда болезни с помощью процедуры отливания на воск или чего-то подобного. Нужно сказать, что эти процедуры действительно помогают, особенно если корень болезни лежит в эфирном теле. Если причина болезни лежит в других телах, то такая энергетическая чистка даст эффект только на время.

Религиозные процедуры. Еще один путь — обратиться за помощью к религиозному эгрегору, то есть попросить Высшие силы очистить вас от всякой напасти. Естественно, что такое обращение сработает, если вы являетесь верующим и ваш «сосуд кармы» не переполнен негативными эмоциями, иначе никакие светлые обитатели Тонкого мира не обратят на вас внимания.

Будьте разумны и циничны. Наверное, есть еще какие-то способы избавления от этих обитателей эфирного плана, но мы не будем развивать эту тему, чтобы не наводить очередную ментальную порчу на наших читателей. Многие люди избыточно мистериальны и боятся всего, теперь они могут начать бояться энергетических «подселенцев». А мы уже неоднократно говорили, что страх есть мощный способ «заказа» того, чего ты опасаешься, особенно если этот страх имеет отношение именно к вам, а не к другим людям.

Так что успокойтесь, все это бабушкины сказки. Существуют миллионы здоровых людей, которые совершенно не думают об этом и не боятся никаких энергетических паразитов, и у них все прекрасно.

Также и вы поменьше думайте о них, а побольше — о том, как хорошо быть здоровым человеком. И у вас все будет замечательно.

А пока эту тему закрываем и переходим к итогам.

Итоги

1. В рамках принятой у нас системы верований в Тонком мире имеются различные энергетические сущности, которые могут оказывать негативное влияние на наше здоровье.
2. Скорее всего энергетические сущности в действительности имеют место и иногда (но не всегда!) оказывают негативное влияние на наше здоровье.
3. Известные сглазы и порчи можно рассматривать как энергетические сгустки, заряженные негативной информацией.
4. Избавляться от возможных энергетических «подселенцев» можно с помощью разных способов — путем создания мощного энергетического подъема в организме, с помощью специальных упражнений, путем обращения к целителям или с помощью религиозных обрядов.

Информационная медицина

Здесь мы хотим рассмотреть еще один способ воздействия на наше эфирное тело. Но этот способ не связан с увеличением количества эфирной энергии, поскольку использует другое ее свойство — способность переносить информацию.

Все есть колебания. Любое вещество состоит из молекул, как мы знаем из школьного курса физики и химии. Молекулы состоят из атомов, а последние — из протонов, электронов и прочих элементарных частиц, которые находятся в непрерывном движении. То есть *все вокруг и внутри нас состоит из колеба-*

ний очень малых частиц, часть из которых (более крупные) уже открыта учеными, а более мелкие еще только предстоит открыть. Некоторые версии относительно этих частиц и полей имеются (теория микролептонов, теория торсионных полей), но все это находится в начальной стадии исследований.

Исходя из этого смело можно утверждать, что каждое вещество излучает в окружающий мир характерные только для него колебания и обладает определенными волновыми характеристиками. Сигналы излучает каждый камень, листок, деревяшка, металл, живой организм и орган этого организма. Только эти сигналы очень слабые и для их измерения требуется очень сложная и специальная аппаратура.

Любые колебания характеризуются рядом параметров — частотой, амплитудой, фазой и т. д. *В этих самых параметрах и закодирована информация,* поскольку один сигнал отличается от другого как раз по этим показателям. Это относится к любым сигналам — радио, телевизионным, световым, тепловым и так далее. Если брать известные нам диапазоны вибраций, то мы видим, что звуковые колебания, радио- или телевизионные сигналы, свет и тепло *существуют одновременно в одном и том же пространстве и не мешают друг другу.* В этом же пространстве находятся и другие колебания, которые мы еще не научились улавливать.

Мы тоже излучаем вибрации. Поскольку все наши органы состоят из разных молекул, то спектр излучений одного органа отличается от другого. Причем излучения идут как в доступном нашим приборам диапазоне электромагнитных волн, так и в других диапазонах, которые сегодня мы не умеем измерять. Более тонкие энергии и колебания — это те самые энергии, которые мы относим к эфирному телу (и остальным телам) человека. Но даже если мы что-то не умеем измерять, то это не значит, что с этим нельзя работать. И люди работают с этим уже тысячи лет, особо не задумываясь, почему так получается.

Болезнь — изменение спектра вибраций. Например, что такое заболевание какого-то органа с точки зрения этого вибрационного (или информационного) подхода? При заболевании меняется форма органа, состав его клеток и интенсивность происходящих в нем биохимических процессов. Естественно, все это *отражается на спектре излучаемых этим органом сигналов.* Если научиться считывать эти сигналы, то легко можно *по спектру излучения диагностировать, здоров или болен тот или иной орган.*

Собственно, именно это делают экстрасенсы, когда проводят руками вдоль тела больного человека и определяют, в каком месте тела человека имеются какие-то необычные излучения. В данном случае «измерительным прибором» является человек, органы чувств которого способны улавливать сигналы в самом широком диапазоне частот.

Это же можно делать с помощью измерительных приборов, но приборы будут улавливать более узкий спектр излучений — только диапазон электромагнитных волн.

Именно на этом принципе построены современные приборы информационной медицины, о которых мы поговорим чуть позже [43].

Как можно лечить. Как можно вылечить больной орган? Можно с помощью лекарств остановить происходящие в нем воспалительные процессы — это будет используемый сегодня *биохимический подход.* Можно ввести в орган какие-то дополнительные вещества в макродозах (например, с помощью БАДов), которые изменят химический состав имеющихся в клетках больного органа веществ, и воспалительные процессы прекратятся. Так будет, если эти процессы были вызваны нехваткой каких-то химических элементов.

А можно не вводить новые вещества, а *подать клеткам органа специальный сигнал, помогающий им выздороветь*. Нужно сказать, что этот способ влияния на наше эфирное (и прочие) тело получает все большее распространение в последние годы.

Гомеопатия, цветочки

В начале XIX века немецкий врач, профессор Лейпцигского университет С. Ганеман провел на себе интересный эксперимент. Будучи совершенно здоровым, он стал принимать порции коры хинного дерева (хины), которая активно использовалась в то время для лечения малярии. И с удивлением обнаружил, что у него появились все симптомы малярийной лихорадки. Он стал искать объяснения этому эффекту, и со временем результаты его исследований вылились в новый принцип лечения, который гласит: «Подобное лечи подобным», или «Закон подобия». Суть этого принципа состоит в том, что *при лечении болезни нужно использовать не те лекарства, которые способствуют излечению симптомов болезни, а, наоборот, те, которые вызывают подобные симптомы.*

Придя к этой идее, Ганеман стал раздавать своим здоровым студентам разные лекарственные препараты (в небольших дозах) и просил их записывать, какие болезненные реакции в организме вызывает это вещество. А потом, когда к нему обращались больные, он сравнивал симптомы их заболевания с симптомами, которые вызывал тот или иной препарат у здорового человека. Когда эти симптомы совпадали, он давал больному именно этот препарат. И больной, как ни удивительно, выздоравливал. Так родилась новая ветвь медицины — *гомеопатия.*

Гомеопатия принципиально отличается от традиционной аллопатической (от греческого «аллос» — «противоположное») медицины, которая *борется против симптомов болезни.*

Например, простуда обычно сопровождается кашлем, насморком, температурой. Традиционный врач для лечения назначит жаропонижающее средство (например, аспирин), средство против отеков и микстуру от кашля. Гомеопат же пропишет только одно лекарство: *Allium* сера (латинское название красного лука), которое у здоровых людей вызывает сухой кашель, слезотечение, насморк и другие присущие простуде симптомы. Однако если его примет заболевший человек, то он быстро излечится [31].

Чтобы понять, почему так происходит, рассмотрим еще одну интересную особенность гомеопатического лечения.

В ходе своих исследований Ганеман обнаружил еще одно поразительное явление — *чем меньше концентрация лекарственного препарата, тем выше его лечебные свойства!* Гомеопатические лекарства обычно представляют собой маленькие шарики молочного сахара, смоченные раствором лекарственного препарата. А при приготовлении раствора он много раз разбавляется чистой водой («потенциируется»). В итоге концентрация исходного лекарственного препарата в растворе, которым смачиваются шарики, может составлять десять в минус десятой, десять в минус двадцатой и даже десять в минус тридцатой степени! Это значит, что *в растворе может не оказаться ни одной молекулы исходного лекарственного препарата!* И тем не менее этот раствор оказывает свое лечебное воздействие. За счет чего же? Явно не за счет химического взаимодействия молекул лекарственного препарата с клетками физического тела, что имеет место при приеме обычных лекарств или БАДов. Здесь используется совсем другой принцип.

Как мы звучим. Для понимания механизма действия гомеопатических препаратов давайте вспомним, что *все наше тело, физическое и все тонкие, есть вибрации составляющих его частиц.* Все эти вибрации имеют самые разные, но согласованные между собой частоты. Для удобства можно представить себе, что *наш организм звучит, как слаженный духовой оркестр.*

Когда организм здоров, то все наши органы действуют в унисон и *издают гармоничный и приятный звук.* Все частоты наших органов согласованны, это давно известно медикам. Когда мы отдыхаем, наш организм выводит что-то вроде мелодии «Вечерний звон». Когда мы с удовольствием выполняем тяжелую работу, организм играет бравый марш типа «Прощания славянки». Когда мы перевозбуждены, организм «исполняет» динамичный рок-н-ролл, и так далее. И все это синхронно, гармонично. Легкие вдыхают нужное количество воздуха, сердце делает нужное количество ударов, мышцы совершают нужные движения.

Но гармоничную мелодию может издать только здоровый организм. Если какой-то орган болен, то он не попадает в такт мелодии. В нашем случае это можно представить так, будто барабанщик куда-то торопится и поэтому спешит отыграть свою партию, не обращая внимания на других музыкантов. Вторая скрипка вчера была на дне рождения и никак не попадет в такт. Контрабас обозлился на флейту и любой ценой хочет заглушить ее. Возможности дирижера (центральной нервной системы) управлять оркестром исчерпаны. Музыканты не слушаются его, поскольку заняты исполнением своей партии.

Какой получится мелодия у этого оркестра? Нетрудно себе представить, это будет явная какофония. Именно ее мы бы услышали, если бы воспринимали весь диапазон звуков (вибраций), издаваемых нашими здоровыми и больными органами, физическими и бестелесными.

Аллопатическая медицина в этой модели похожа на строгого администратора (или полицейского), который принудительными мерами заставляет строптивого музыканта играть в такт. Если у нас болит горло, то мы лечим именно горло, если болит нога, то мы лечим ногу, и так далее. Мы боремся с тем, что звучит не в такт.

Гомеопатическая медицина действует по-иному. Она приводит со стороны еще одного плохого музыканта и предъявляет его игру всему оркестру. Увидев это, все музыканты сплачиваются и за счет внутренних ресурсов приводят нерадивого коллегу в норму, заставляют его играть в такт. На языке медиков это называется «мобилизовать иммунную систему и подавить очаг заболевания».

Таким образом, гомеопатия лечит не за счет внешних силовых воздействий на больной орган, а *за счет стимулирования естественных защитных механизмов организма*. Конечно, внешнее воздействие здесь тоже есть, но оно производится на очень тонком информационном (вибрационном) уровне и относится сразу ко всему телу. Информационное воздействие гомеопатических лекарств производится не только на физическое, но и *на эфирное тело человека*, заставляя его звучать синхронно с остальными органами.

Добавляем нужные вибрации. Носителем нужной информации как раз и являются шарики молочного сахара (крупка), пропитанные сверхразбавленным раствором лекарственного препарата. А *информаци-*

ей является определенная частота вибраций, издаваемая лекарственным препаратом и вызывающая резонанс в больном органе. Сегодня ученые научились считывать спектры электромагнитных излучений любых веществ, в том числе гомеопатических лекарств. Скорее всего лечебный эффект оказывают и более тонкие колебания, которые не улавливаются современными приборами.

В качестве лекарственной основы при приготовлении гомеопатических препаратов используются различные растения (экстракты из них), минералы, химические элементы, каждый из которых имеет свою собственную резонансную частоту. Несколько позже гомеопатические препараты были приготовлены из тканей больных органов и непосредственно из бактерий, вызывающих какие-то заболевания (нозоды). Поскольку концентрация исходного вещества в гомеопатических шариках исчезающе мала, эти препараты не представляют собой никакой угрозы заражения, но оказывают хороший лечебный эффект при лечении именно этих органов или при борьбе с конкретным видом бактерий. Сегодня гомеопатами разработано несколько тысяч препаратов, позволяющих вылечить очень много заболеваний.

Цветочные эссенции. Освоив этот вид энергоинформационного лечения, люди стали искать, какие еще вещества своим информационным воздействием могут оказать положительное влияние на организм человека.

Английский ученый Э. Бах разработал целую серию цветочных эссенций, которые используются для лечения эмоциональных расстройств (то есть влияют на эмоциональное тело). Подобно гомеопатическим препаратам, цветочные эссенции содержат ничтожно малое количество исходного вещества цветка и *оказывают влияние только своими вибрациями.*

Оказывая положительное влияние на тонкие тела человека, они приводят к выздоровлению физического тела.

Для изготовления эссенций цветок просто кладется в сосуд с родниковой водой и выставляется на несколько часов на солнце. В итоге *вода приобретает вибрационные свойства цветка* и используется для лечения конкретных заболеваний в эмоциональной и психической сфере. Одни цветочные эссенции изгоняют страхи, другие — повышают уверенность в себе, третьи повышают способность к медитации, и т. д.

Ароматерапия. К информационным способам воздействия можно, наверное, отнести использование ароматических веществ (эфирных масел) с помощью ароматокурительницы, когда 1—2 капли масла добавляются к 50 или 100 граммам воды, и затем эта смесь медленно испаряется, нагреваемая пламенем свечи. Попадая в легкие, эфирные масла воздействуют на эмоциональную сферу человека, оказывая возбуждающее или успокаивающее действие [42]. Конечно, здесь количество препарата неизмеримо больше, чем при чисто информационном воздействии с помощью гомеопатических препаратов. Но использование механизма информационного воздействия, несомненно, присутствует.

Информационное воздействие будет значительно меньшим в других процедурах использования эфирных масел — при приеме их внутрь или при массаже с помощью этих масел. Здесь уже явно будет преобладать биохимический эффект от попадания этих веществ внутрь организма.

То же самое можно сказать относительно использования *отваров трав, фиточаев* и *БАДов*. Основной лечебный эффект скорее всего возникает за счет химического взаимодействия молекул отвара с клетками больного органа или бактериями, а информационная составляющая лишь увеличивает эффект этого воздействия.

Существует еще несколько чисто информационных способов воздействия на тонкие тела человека — например, с помощью цвета, но мы не ставим своей целью полный обзор всех способов информационного воздействия. Важно просто *научиться различать*, когда идет биохимическое воздействие на физическое тело, а когда чисто информационное воздействие на тонкоматериальные тела. Последнее имеет место, когда *количество воздействующего на тело человека лекарственного препарата исчезающе мало по сравнению с массой его тела.*

Нас только используют, хотя и неплохо. Поскольку почти все рассмотренные выше способы оздоровления разрабатывались врачами, в них виден традиционный медицинский подход, когда *больной человек является объектом, на который врач воздействует лекарствами* (гомеопатическими препаратами, эссенциями или эликсирами). Человек все это пассивно глотает (нюхает, выпивает) и ожидает, когда он выздоровеет.

Как он себя при этом ведет? Действительно ли он хочет выздороветь? Эти и многие другие вопросы врача обычно мало интересуют. Он должен вылечить любого, кто бы к нему ни обратился, даже если тот будет всячески препятствовать своему выздоровлению (что неосознанно делает большинство больных, нарушая рекомендации врачей по режиму, питанию, нагрузкам и т. д.). Конечно, подобный подход снижает эффективность лечебных процессов, но что поделаешь. Это наша реальность, и нужно учиться использовать ее с максимальной выгодой для себя.

На этом мы заканчиваем рассмотрение первых подходов к информационной медицине и переходим к итогам.

Итоги

1. Поскольку все мы состоим из молекул и атомов, представляющих собой колебания элементарных частиц, то можно смело сказать, что все в нашем мире есть вибрация, и одно отличается от другого лишь характеристиками этих вибраций.

2. Все органы тела человека излучают вибрации на присущей им резонансной частоте. При заболевании эта частота меняется.

3. В XIX веке немецкий врач С. Ганеман предложил принципиально новый, чисто информационный метод лечения, который получил название «гомеопатия».

4. При гомеопатическом лечении в организм вводится носитель информации, имеющий такую же частоту колебаний, как и больной орган. В итоге защитные силы организма мобилизуются и болезнь отступает.

5. Близким по способу воздействия на эфирное и эмоциональные тела человека является способ лечения эмоциональных расстройств с помощью цветочных эссенций или эликсиров драгоценных камней.

6. Особенностью этих способов чисто информационного воздействия является то, что они рассматривают человека как объект, в котором нужно что-то изменить. Сам человек играет в этом процессе пассивную роль, что явно может уменьшить эффект от подобного лечения.

Чудодейственные приборчики

Информационная медицина получила развитие только в течение последних ста с лишним лет, что совпало по времени с бурным развитием науки и техники. Вследствие этого она не могла не быть замеченной учеными, которые создали множество приборов, позволяющих воздействовать на тело человека энерго-информационными методами с целью его оздоровления. Понятно, что воздействие осуществляется либо на физическое, либо на эфирное тело человека, либо на оба вместе. Таких приборов сегодня создано множество, и невозможно рассказать обо всех из них. На наш взгляд, их все можно разделить на *пять больших условных групп*:

1. приборы, воздействующие на тело человека внешними электромагнитными сигналами широкого спектра;
2. приборы, воздействующие электрическим током, проходящим сквозь тело человека;
3. приборы, воздействующие на организм внешним электромагнитным сигналом определенного спектра колебаний;
4. приборы, воздействующие на организм внешним электромагнитным сигналом определенной формы;
5. приборы, занимающиеся преобразованием тех энергетических потоков, которые окружают человека.

Понятно, что эта классификация условна, но нам удобно будет использовать именно ее. Рассмотрим, как же работают эти приборы.

Воздействие внешними электромагнитными сигналами широкого спектра. Понятно, что со времени открытия магнетизма и электричества ученые пробовали воздействовать на человека этими сигналами и смотрели, что с ним станет. Ежели выживал и даже выздоравливал, значит, сигнал полезный и можно воздействовать им на других. Ну а если наоборот, то, видимо, пациенту просто не повезло (видимо, карма у него неважная была).

Поэтому сегодня в медицинской практике имеется множество приборов, начиная с аппарата для простого прогревания носа или лица ультрафиолетом и заканчивая огромными магнитными камерами (соленоидами), куда человек въезжает на специальной тележке. В промежутке находится множество приборов ультразвуковой, радиационной и ВЧ-терапии, КВЧ-терапии (крайневысокочастотной терапии), световые, тепловые, звуковые, лазерные и т. п. аппараты.

Например, сюда же относится получивший в последнее время широкую известность аппарат «Витязь», который позже стал называться «Рикта». Он состоит из собственно прибора и выносной излучающей головки (терминала). Из излучающей головки на тело человека поступает *импульсное лазерное инфракрасное излучение*, проникающее в тело на несколько сантиметров, *непрерывное широкополосное инфракрасное излучение, пульсирующий красный свет и постоянное магнитное поле* (за счет постоянного магнита). Все это в определенном порядке воздействует на определенные места на теле человека, совпадающие с точками акупунктуры.

Как все это действует на тело, можно себе представить. Под действием внешнего импульсного электромагнитного поля токопроводящие клетки нашего организма получают очень сильную «встряску», оживляются и начинают лучше исполнять свои функции. Болезнь в итоге отступает.

Мощность излучающей головки подобрана таким образом, чтобы количество поступающей из нее энергии не было чрезмерным, то есть чтобы белок не перегрелся и не свернулся, как это происходит в печах СВЧ. Но все равно рекомендуется проводить один цикл лечения (10 сеансов) один раз в два месяца — чтобы не перевозбудить организм.

Нужно сказать, что даже такая встряска в широком диапазоне частот производит очень неплохое воздействие на организм и он избавляется от десятков заболеваний. Воздействие на организм оказывается на энергетическом уровне, а эффект мы получаем на уровне физического тела.

Приборы, воздействующие электрическим током, проходящим сквозь тело человека. Рассмотренный выше прибор воздействует на тело человека разного рода излучениями снаружи. Понятно, что есть и другие приборы, которые пропускают прямо через тело человека электрический ток определенной частоты и формы и тем самым оказывают на него какие-то воздействия. Понятно, что это не 220 вольт из розетки, а очень слабые токи, которые никак не могут повредить ткани нашего организма. А вот помочь с диагностикой и лечением — могут.

С момента открытия электрического тока ученые исследовали его влияние на организм человека. Ими было выяснено, что точки акупунктуры (биологически активные точки — БАТ), выявленные много тысяч лет назад китайскими медиками, имеют повышенную электропроводность. То есть сопротивление поверхности тела в точке акупунктуры в 5–10 раз ниже, чем сопротивление любых других участков кожи. Позже было выявлено, что эта особенность вызвана тем, что в этих точках имеется очень высокая концентрация нервных окончаний. Воздействуя на эти точки электрическим сигналом, можно стимулировать работу связанных с ними внутренних органов, проекцией которых эта точка является (меридиан сердца, меридиан почек и т. д.).

Процесс воздействия электрическим током на биологически активные точки называется *электропунктурой*. В эти точки на поверхности тела человека с помощью двух электродов посылаются сигналы постоянного или переменного тока. Эти сигналы возбуждают так называемые чудесные меридианы, которые связаны с определенными органами нашего тела. В результате на внутренний орган тоже оказывается целебное воздействие. Например, известно, что если направление протекания тока электропунктуры совпадает с движением внутренней энергии в меридиане (оно известно), то такой ток оказывает тонизирующее действие. А если направление тока противоположно течению внутренней энергии в меридиане, то этот ток оказывает успокаивающее (седативное) действие.

Немецкий ученый Р. Фолль в середине прошлого века предположил, что если померить электрический потенциал в точках акупунктуры, то он будет отражать состояние тех внутренних органов, с которыми они связаны. Это предположение оказалось верным, и им был создал прибор, который измеряет электрический потенциал в биологически активных точках тела.

Прибор откалиброван таким образом, что при здоровом состоянии органа он показывает потенциал в 50—60 условных единиц. Если в органе имеется воспалительный процесс, то прибор покажет потенциал больший, чем 60 единиц. Если орган энергетически истощен или в нем идут дегенеративные процессы, то прибор покажет менее 50 единиц. Посылая электрический сигнал в те точки, которые соответствуют больному органу, можно оказывать на него оздоравливающее воздействие.

Понятно, что разновидностей подобных приборов существует множество (Е. Накатани, А. Катина, Н. Лупичева и др.). И все они используются как универсальный инструмент для диагностики и лечения множества органов и заболеваний человека.

Воздействие внешним электромагнитным сигналом определенного спектра колебаний. При использовании приборов Фолля был обнаружен удивительный эффект — *если во время диагностики дать че-*

ловеку в руки (или даже положить рядом с ним) *ка-кое-то вещество* (сахар, лекарство, напиток), то *показания прибора изменятся!* Изменится потенциал в точке акупунктуры. И не просто изменится, а *покажет, как именно организм пациента реагирует на это вещество,* положительно или отрицательно.

Объясняется это не очень сложно. Все вещества, как мы уже рассказывали, обладают определенными волновыми (вибрационными) характеристиками. Если волновые характеристики вещества вступают в диссонанс с волновыми характеристиками организма (какого-то из его органов), то наступает разбалансировка вибраций этого органа, что отражается на электропотенциале БАТ этого органа. Если волновые характеристики вещества совпадают с волновыми характеристиками организма, то на это вещество он даст положительную реакцию, которую легко можно обнаружить прибором.

В ходе подобных опытов был обнаружен *эффект дальнодействия* — то есть способность организма показывать реакцию на вещество, которое находится не внутри, а снаружи, но недалеко, чтобы он мог уловить сверхслабые электромагнитные излучения этого вещества.

Раз подобный эффект есть, почему бы его не использовать? Ученые быстро составили целые кассеты разного рода лекарств — преимущественно гомеопатических, и стали поочередно проверять, как организм прореагирует на них. И каждый раз *организм показывал, как именно он относится к этому веществу.* Появилась возможность ставить диагноз, не проводя никаких анализов, — в электрическую цепь включался препарат, содержащий конкретную разновидность вирусов, бактерий или грибков, и *организм сам показывал,* есть ли в нем этот источник болезни или нет. И лекарство можно подбирать подобным же образом — включать поочередно каждое из лекарств в электрическую цепь и смотреть, хорошо или плохо на него реагирует организм.

Этим же способом *можно проверять, как организм реагирует на продукты питания, напитки, косметику, камни, украшения* и любые другие предметы, которые мы носим на себе или принимаем внутрь. Можно даже проверять, как будет реагировать ваш организм на ту пломбу, которую собирается поставить вам зубной врач, — иначе пломба может стать источником длительного раздражения и даже заболевания, если ее волновые характеристики расстраивают какой-то из ваших органов.

Подобные приборы широко продаются, и можно при желании использовать их для этих вполне бытовых целей.

Возьмем в помощь компьютер. Но иметь множество кассет с разными препаратами и по очереди проверять каждый из них — сложно и долго. Поэтому следующим шагом было создание специальных *компьютерных банков информации о разного рода веществах и лекарствах,* своего рода селекторов, куда записаны спектры излучений множества веществ.

В современных компьютерных системах хранится информация о 10–30 тыс. лекарственных препаратов и возможных возбудителей заболеваний (вирусы, бактерии, грибки). Понятно, что работать с такой системой стало много удобнее. Можно сразу вызвать блок всех вирусов (или всех грибков — их сотни) и запросить у организма пациента, есть ли в нем какие-то вирусы или грибки. Если организм подтвердит их наличие, можно будет за несколько действий выяснить, какой именно вирус или грибок является источником заболевания. И подобрать к нему соответствующее лечение.

Поскольку вся информация о лечебных препаратах тоже хранится в компьютере, ее *можно нанести на какой-то нейтральный носитель* и выдать пациенту для лечения. Получится что-то вроде гомеопатического препарата. *На один носитель может быть нанесена информация сразу о нескольких лекарствах*, но только гомеопатических (обычные лекарства не годятся, поскольку они работают не на информационном, а на биохимическом уровне).

Полезная информация может наноситься на самые разные носители — на восковые таблетки, на спирт, на обычную воду и на сахарные крупинки, используемые в гомеопатии.

Автор данного труда испробовал их все и от себя должен заметить, что самым неудачным носителем являлся спирт, поскольку его нужно было принимать с утра на голодный желудок, в результате чего до обеда изо рта шел устойчивый запах алкоголя. Вряд ли автоинспектор поверил бы, что это всего лишь принимался гомеопатический препарат.

Как видим, современная медицина сделала большие шаги на пути к *привлечению организма самого больного* к выявлению источника заболевания и подбора комплекса лекарств, необходимых для выздоровления. Подобным образом вылечивается множество заболеваний, и на место искусства гомеопата пришла вполне осознанная работа с современной техникой. Правда, пока что эта техника не стала массовой, и ее используют для лечения только врачи. Но это только сегодня, а завтра ситуация может резко измениться.

Воздействие внешним электромагнитным сигналом определенной формы. Несколько по иному пути пошли разработчики другого прибора, который получил название «Минитаг». Они для начала исследовали, какие излучения исходят от человека, и выяснили, что *все живые организмы излучают радиосигналы в миллиметровом диапазоне частот* (60,5–62,5 гГц). Эти сигналы имеют *низкочастотную амплитудную модуляцию* (в диапазоне от 0 до 1 Гц).

Исследуя излучения больных и здоровых органов, они пришли к интересному выводу: все больныеорганы и клетки излучают сигналы, имеющие разную форму модуляции. А *все здоровые клетки любого органа излучают один и тот же сигнал* (то есть имеют одинаковую форму модуляции)! Причем этот сигнал по форме точно совпадает с излучением «святой воды» сразу после водосвятия! Возможно, именно этим объясняется целебный эффект «святой» воды.

Значит, для *диагностики заболевания нужно сравнить сигналы, излучаемые нашими органами, с эталонным сигналом здорового органа.* И если есть отклонения, то точно можно утверждать, что с этим органом что-то не в порядке.

Именно так работает этот прибор. Он представляет собой трубку длиной порядка 30 см и диаметром 5 см с излучающей головкой с одной стороны. На приеме у врача сначала проводится диагностика состояния организма. Для этого врач приставляет прибор к определенным точкам на теле человека (голова, туловище, руки и ноги — это все те же точки акупунктуры). Прибор улавливает излучения нашего организма и передает их в компьютер, который *строит графики спектра излучений в разных точках.* На основе этих графиков врач делает вывод, какой орган болен и на какие точки нужно воздействовать.

А само лечение происходит совсем просто — пациент приставляет прибор (уже без компьютера) к своему телу в определенных точках и держит его там по 5 минут. Прибор *воздействует на организм электромагнитным сигналом, имеющим спектр излуче-*

ний здоровой клетки, но в 10 раз более сильным! Под действием этого внешнего энергоинформационного воздействия клетки перестраивают свою работу, организм выздоравливает.

Прибор абсолютно безопасен, поскольку имеет очень маленькую мощность излучения, здесь нет мощной встряски клеток больного органа. Именно поэтому его авторы назвали свой способ лечения «информационным». Этим способом также излечивается множество заболеваний, включая даже случаи наркомании.

Заглянем в будущее. Как нам представляется, этот прибор имеет большое будущее и самые разные сферы приложения. Например, уже сегодня им можно воздействовать не только на свое тело, но и *на прозрачные (светопроводящие) жидкости* типа воды, вина, водки и пр. Облучение этих жидкостей специальным сигналом вызовет определенную перестройку структуры жидкости, то есть *обычная вода станет «святой»* (и водка тоже!). На ней можно готовить, ее можно пить — и тем самым оздоравливаться в процессе обычного питания, без всяких специальных добавок.

Сегодня прибор «Минитаг» — это большая металлическая трубка со сложными устройствами внутри. Но мы знаем, как быстро развивается техника и как быстро уменьшаются размеры приборов. Несложно предположить, что лет через пять-десять ученым удастся резко уменьшить размеры излучателя, и тогда его можно будет встроить в одежду. Представляете, надеваете вы футболку с встроенными излучателями и микрокомпьютером. Они автоматически измеряют спектр излучений в разных точках вашего организма, автоматически подбирают программу оздоровления и автоматически воздействуют на нужные точки. Пока вы в футболке, ваше эфирное тело будет принудительно здорово, а иммунную систему можно будет просто отправить на заслуженный отдых (пока ваша чудо-футболка не сломается). Человеку в такой футболке не захочется пьянствовать или принимать наркотики — здоровому организму это не нужно.

В квартире также можно установить подобные излучатели, чтобы они воздействовали на вас все время. Сегодня используемое КВЧ-излучение распространяется всего на 2–3 сантиметра, дальше сигнал затухает, но это чисто технический вопрос, который все равно будет решен. В общем, перспективы принудительного приведения нашего эфирного (а с ним и физического) тела в здоровое состояние по этому принципу достаточно велики.

Матричный аппликатор. Все рассмотренные выше приборы имеют внешний источник питания — это электрическая сеть или батарейки. Но существуют устройства, которым не нужны никакие внешние источники питания, поскольку они работают с теми энергиями, которые излучает организм человека (по разным источникам, организм здорового человека постоянно излучает от 100 до 1500 Вт энергии в самом широком диапазоне частот).

Эти энергии (то есть электромагнитные и прочие волны) соответствуют состоянию организма человека. Мы уже говорили, что если человек здоров, то он излучает гармоничный звук, если болен — дисгармоничный.

Значит, если как-то принудительно перевести дисгармоничные колебания в гармоничные, то больной орган поневоле будет выздоравливать.

Именно на этом принципе основано устройство, которое называется «аппликатор матричный резонансной коррекции AIRES» [44]. Он представляет из себя пластинку прозрачной самоклеющейся пленки, на которую специальным составом нанесен очень сложный узор. Узор представляет собой многократно повторяющиеся и наложенные друг на друга со смещением круги (фрактальная композиция).

Эти пластинки наклеиваются прямо на тело человека в определенных точках по схеме, приведенной в инструкции по использованию устройства (здесь не используются точки акупунктуры). Их можно наклеивать прямо на больное место, и они дают явный обезболивающий эффект. За счет чего же? За счет того, что аппликатор усиливает одни колебания и гасит другие — как камертон, помещенный в условия сплошного шума, обязательно усилит тот звук, на который он настроен.

Понятно, что аппликатор рассчитан таким образом, чтобы *усилить колебания, соответствующие здоровому состоянию организма,* и гасит колебания, вызванные заболеванием. Аппликатор используется для лечения многих заболеваний — неврологических, желудочно-кишечного тракта, сердечно-сосудистой системы и многих других.

Приборы биополевой защиты. Еще один вид приборов, которые также взаимодействуют с энергиями, излучаемыми человеком и распределенными в окружающей среде, получил название приборов биополевой защиты. Сегодня пять или шесть компаний предлагают подобные приборы собственной разработки. Принцип работы этих приборов примерно следующий.

В первой главе книги мы уже рассказывали, что мы живем в океане эфирной энергии, которая протекает каким-то образом вокруг нас, оказывая как положительное, так и отрицательное влияние. Какие виды отрицательных энергий существуют? Их множество, и они имеют самую разную природу.

В самом общем виде можно сказать, что вредные для человека энергии могут иметь следующие источники:

- *геопатогенные излучения,* то есть различного рода мощные потоки энергии, возникающие над подземными разломами или пустотами, на переломах местности, в долинах рек и пр. Об этих влияниях наиболее подробно рассказывается в древнем учении Фэн-Шуй;

- *техногенные излучения,* то есть тонкоматериальные (не электромагнитные) излучения от мощных технических устройств (электростанций, передатчиков, печей СВЧ, монитора компьютера, телевизора и т. д.);

- *психогенные излучения,* то есть те самые посылы негативных мыслей и эмоций, которыми обмениваются люди (сглазы).

Любое из этих излучений, если оно достаточно долго воздействует на человека, может внести искажения в его эфирное тело и затем вызвать заболевание. Мы живем в искусственно созданной среде, насыщенной разного рода излучениями, и неплохо было бы как-то защищаться от их вредного влияния.

Способы защиты от вредного влияния ненужных нам энергий известны уже тысячи лет — это *различного рода графические символы.* Все мы слышали, что какими-то необычными свойствами обладает крест, свастика, звезда, пирамида и многие другие фигуры. Сейчас нет людей, обладающих непосредственным видением того, как эти фигуры взаимодействуют с протекающими вокруг нас энергетическими потоками, об этом мы можем судить только по косвенным признакам. Но взаимодействие есть, и люди издавна его используют. На этом принципе построены известные всем мандалы и защитные амулеты.

Так вот, если на одной пластинке собрать множество защитных фигур и расположить их в определенной последовательности, то они станут оказывать немалое влияние на окружающее пространство. Если эти пластинки будут расположены вблизи тела человека, то они могут *преобразовывать любые поступающие извне энергопотоки в такие, которые полезны организму человека* (будут усиливать полезные колебания и ослаблять вредные).

Примерно так устроено большинство приборов биополевой защиты. Обычно они представляют собой пластиковый корпус, внутри которого находится пластинка с нанесенным на нее сложным узором. В зависимости от узора эта пластинка может оказывать на человека возбуждающее или успокаивающее действие, может усиливать его творческий потенциал или способности к общению, производить очистку окружающего пространства и находящихся в нем продуктов питания от вредных примесей, и многое другое.

Автор этой книги несколько лет пользуется приборами защиты типа КИТ-4, БРИЗ-4 или их модификациями, и может подтвердить их положительное влияние на себя и окружающих людей.

На этом, пожалуй, можно остановиться в рассказе о способах влияния на наше эфирное тело с помощью разного рода приборов. На наш взгляд, они оказывают влияние только на эфирное тело человека, хотя можно встретить рассуждения о «ментальных» или даже «казуальных» влияниях этих устройств. Скорей всего это выдача желаемого за действительное.

Немного о грустном. Рассмотрение принципов действия последних двух приборов явно показывает, что на наше здоровье оказывает немалое влияние то, какую форму имеют окружающие нас предметы.

А теперь давайте вспомним, чем мы окружены. Прежде всего с нашим телом непосредственно взаимодействует одежда, которая вся состоит из многократно переплетенной ткани, рисунков, швов и многого другого. Естественно, все эти элементы одежды оказывают на нас влияние не меньшее, чем матричный аппликатор или прибор полевой защиты. Но вот какое влияние — никто этого не знает. Скорее всего не очень хорошее.

А ведь наши далекие предки знали об этих влияниях и учитывали их в своей одежде. Всем известные узоры на русской традиционной одежде вышивались по строгим правилам и несли ту же защитную функцию, которую мы теперь доверяем приборам. Покрой одежды тоже учитывал необходимость защиты от вредных энергетических влияний. Например, воротник мужской рубашки всегда имел застежку с левой стороны и подмышками не делался шов — это далеко не просто прихоть портного, а тот же Фэн-Шуй, внесенный в покрой одежды. Узор на восточных коврах тоже имеет особое, защитное значение.

Сегодня понимание этих закономерностей утеряно, и мы вновь нащупываем то, что люди знали тысячи лет назад. И та одежда, которую мы сегодня носим, далека от тех функций, которые она могла бы выполнять. Не исключено, что источником высокого давления может явиться ваш любимый халат, а боли в желудке вызываются любимым креслом с красивым тканевым покрытием. Мы пьем таблетки или лечимся иным способом, а для выздоровления нужно всего лишь сменить халат или кресло. Но знать об этом нам не дано, к сожалению.

Это не значит, что нужно погружаться в очередные переживания по этому поводу. Информационные влияния формы предметов оказывают сильное воздействие *только на ослабленный другими факторами организм.* А если вы нормально питаетесь, периодически разминаете свое тело, поддерживаете свою энергетику в порядке, не занимаетесь бесконечными переживаниями и не желаете быть больным, то вы смело можете ходить в любой одежде и сидеть на любых креслах. Ваш организм, не растрачивающий свои силы на борьбу с другими факторами, легко компенсирует негативное влияние одежды и формы других окружающих вас предметов. Все эти факторы имеют значение для людей ослабленных и склонных искать причины своих проблем везде, кроме себя самого.

Такова наша реальность, и быстро изменить ее мы не можем, поэтому давайте не будем переживать по этому поводу. А будем пользоваться тем, что люди знали когда-то или создали вновь. На этой не очень восторженной мысли пора перейти к очередным итогам.

Итоги

1. На эфирное тело человека можно воздействовать разного рода техническими устройствами, чтобы насытить его дополнительной энергией или вынудить принять необходимую для здорового состояния форму.

2. Все множество технических устройств можно разделить на пять больших групп:

- приборы, воздействующие на тело человека внешними электромагнитными сигналами широкого спектра;
- приборы, воздействующие на организм внешним электромагнитным сигналом определенной формы;
- приборы, воздействующие электрическим током, проходящим сквозь тело человека;

- приборы, воздействующие на человека сигналами неэлектромагнитной природы;
- приборы, занимающиеся преобразованием тех энергетических потоков, которые окружают человека.

3. Каким бы ни был прибор, он все равно вынужден исправлять то, что сотворил человек своим неправильным отношением к своему телу. Если заботиться о теле (точнее, обо всех своих телах), то вам не нужны будут никакие приборы. Поскольку все, что нужно для здоровья, дано нам изначально.

Еще немного об энергетике

Этот раздел книги про эфирное тело не зря получился таким большим. Эфирное тело является основным фактором, определяющим состояние нашего здоровья, поэтому усилия очень многих специалистов были сосредоточены на том, чтобы научиться управлять им либо поддерживать его в здоровом состоянии.

Рассмотрим еще несколько способов влияния на энергетическое тело.

Уринотерапия. В последние годы среди энтузиастов получила широкое распространение методика самоизлечения путем использования собственной мочи — наружно на места с кожными заболеваниями, и внутрь для лечения внутренних органов [45].

Конечно, процедура эта не очень аппетитна, но любителей этого способа лечения хватает. И нужно отметить, что результаты бывают совсем неплохие — исцеляются кожные и внутренние заболевания. Каков же механизм действия урины?

Если это биохимический процесс, то этот способ нужно было рассматривать в предыдущей части книги, где мы рассматривали, как можно излечить физическое тело. Но скорее всего *принцип излечения здесь иной — информационный, как в гомеопатии.* Ведь что такое наша урина? Это выделенные в процессе жизнедеятельности отходы, которые организму не нужны и он от них избавляется. Эти отходы обладают определенными волновыми характеристиками — теми, которые организму «не нравятся». В моче находятся остатки тех микроорганизмов, которые есть у нас внутри (бактерии, грибки и пр.), и ненужные нам микроэлементы, поэтому их не нужно вычислять с помощью метода Фолля или любым другим анализом, поскольку они уже есть в нашей моче.

Вместе с мочой мы вносим в организм те вибрации, от которых он старается избавиться. Это очень *похоже на гомеопатический способ лечения*, когда с помощью крупинок внутрь вводятся те волновые характеристики, которые провоцируют симптомы заболевания. Моча в принципе обладает этими же свойствами, и организму не остается ничего, как заставить свою иммунную систему работать поактивнее. В результате болезнь проходит.

Если эта идея верна, то из нее следует интересный вывод: *мочу не нужно пить стаканами.* Не нужно выпаривать ее и глотать полученную соль. Это невкусно. И главное, совершенно бесполезно, поскольку при гомеопатическом подходе концентрация лечащего вещества должна быть мизерной. То есть мочу нужно не выпаривать, а разбавлять (потенциировать — как гомеопатические лекарства). Ее можно разбавить в десятки тысяч раз, и от этого она будет только эффективнее действовать. На стакан воды нужен 0,1 мг мочи — такой раствор может выпить любой человек, даже самый брезгливый. А эффект может быть замечательный.

В общем, рекомендую попробовать этот подход, он должен дать интересные результаты. Если получится что-то интересное, напишите нам, но не более одной-двух страниц.

«Живые» воды. Несколько лет назад были очень популярны разные способы получения «живой» воды. Для этого воду омагничивали, подвергали заморозке и последующему таянию, использовали процесс электролитического разделения воды на анолит (мертвая) и католит (живая). В результате этих операций появлялась вода, которая обладала новыми свойствами.

Поскольку химический состав воды не менялся (разве что при оттаивании уменьшалось количество солей), то похоже, что эффект выздоровления при использовании подобной воды возникал не за счет химических воздействий на физическое тело. Новые свойства появлялись у воды за счет изменения каких-то волновых характеристик.

Каким бы ни был этот внутренний механизм, характеристики воды довольно сильно изменялись и она приобретала новые свойства.

Известный нам опыт многолетнего использования электроактиватора доказал, что «мертвая» вода обладает сильнейшими бактерицидными и дезинфицирующими свойствами. Стакан «мертвой» воды способен сбить высокую температуру у взрослого и ребенка за десять минут, остановить напрочь диарею, остановить кровотечение, в том числе в прямой кишке, и многое другое. Эти приборы продаются в магазинах и по-прежнему обладают удивительными свойствами.

На этом мы, пожалуй, приостановим рассмотрение способов оздоравливающего воздействия на эфирное тело и переходим к последним в этой главе итогам.

Итоги

1. Эфирное тело является основным телом, определяющим состояние здоровья, поэтому на его оздо-

ровление направлены усилия множества специалистов.

2. Одним из способов самооздоровления является уринотерапия. Скорее всего этот процесс аналогичен гомеопатии, поскольку на организм воздействуют теми веществами, от которых он старается избавиться. Отсюда вытекает следствие, что для увеличения эффективности уринотерапии нужно уменьшать ее концентрацию.

3. Различные способы воздействия на воду приводят к изменению ее свойств, которые можно использовать для борьбы с заболеваниями и самооздоровления.

4. Существует еще много способов воздействия на эфирное тело. Можно использовать любой способ, но не нужно надеяться, что он один принесет полное выздоровление.

Глава 5

Избавляемся от эмоционального негатива

Теперь, когда мы рассмотрели возможные способы оздоровления физического и эфирного тел, можно идти дальше. То есть к эмоциональному телу, которое также может являться источником заболевания.

Мы уже рассматривали, каким образом наши переживания могут привести к заболеваниям физического тела. Теперь остается посмотреть, каким образом мы можем почистить и поддерживать в порядке свой эмоциональный план.

Чтобы поддерживать свое эмоциональное тело в порядке, нужно либо *не добавлять туда новых переживаний, либо чистить его сразу же после очередной вспышки недовольства.*

Как не добавлять. Чтобы не испытывать длительных негативных переживаний, нужно отказаться от своих идеализаций. То есть научиться жить так, чтобы вы не переживали, когда что-то в этом мире не совпадает с вашими ожиданиями [2, 4, 7, 10]. Напомним, что мы предлагаем научиться поступать так с помощью четырех способов:

1) усилием воли *заставить себя не переживать*, когда раздражающая вас ситуация повторяется в сотый или тысячный раз — все равно ведь ничего не меняется;

2) заставить себя *сделать с удовольствием то, что вы осуждаете в других* людях — тогда у вас не будет оснований для недовольства;

3) *подобрать себе аффирмацию*, противоположную вашей идеализации, и путем самопрограммирования сделать ее частью вашей жизни;

4) научиться *получать удовольствие от той негативной эмоции*, которую вы в данный момент испытываете.

Научиться не испытывать длительных негативных переживаний — лучший выход для нас (речь не идет о внешней выдержке, а именно об искреннем внутреннем принятии мира во всех его странных проявлениях). Но, к сожалению, он доступен совсем немногим людям, активно занимающимся своим духовным развитием.

Нагрешил — «покайся»! Большинство людей не могут научиться управлять своим эмоциональным планом — это сильнее их. Эмоции захлестывают их, вышибая из головы все прежние намерения не идеализировать, быть благостным, прощать всех и так далее. И таких людей большинство.

Что же, у них нет никаких шансов сохранить свое эмоциональное тело чистым? Естественно, есть, для этого придумано множество способов. Все они сводятся к одному: нагрешил — покайся (то есть почисть свой эмоциональный план).

Рассмотрим некоторые из подобных практик.

Техники прощения. Прежде всего это, конечно, различные техники прощения. Мы уже предлагали свой вариант медитации прощения, который имеет вид: «С любовью и благодарностью я прощаю (имя человека) и принимаю его таким, каким его создал Бог. Я прошу прощения у (имя человека) за свои негативные мысли и эмоции по отношению к нему» [2, 4, 7].

Нужно сказать, что эта медитация направлена в первую очередь на очищение от накопленных переживаний, связанных с проблемами во внешнем мире. Однако опыт ее применения показывает, что она нередко помогает избавиться и от самых сложных заболеваний, включая сердечно-сосудистые заболевания, болезни желудочно-кишечного тракта, органов дыхания и многие другие, в том числе некоторые онкологические. Но все это происходит как *фактор, сопутствующий процессу снятия претензий к окружающему миру и перехода в гармоничное состояние духа.*

Просим прощения у тела. Существует немало целительских школ, основным занятием которых является как раз *чистка эмоционального тела как источника заболеваний.* Наиболее полно этот подход отражен в книгах эстонской целительницы Лууле Виилма [25].

Суть предложенного ею подхода проста. Она утверждает, что каждое наше негативное переживание есть грязь, которую мы помещаем в свое тело, превращая его в помойку. Каждое наше негативное переживание причиняет телу боль, мы фактически бьем его, а чем оно заслужило такое отношение? Понятно, что ничем. Поэтому нужно попросить прощения у тела за доставленную ему боль, тогда оно очистится от накопленного эмоционального негатива и перестанет болеть.

Суть предложенного ею способа излечения заключается в том, что *нужно просить прощения у трех участников процесса* негативного переживания, а именно:

• *у той негативной эмоции, которую вы испытали* («Я прощаю свою обиду на бросившего меня мужа», «Я прощаю свое чувство вины по отношению к моему ребенку», «Я прощаю свою ненависть к насильнику» и т. д.);

• *у самого себя за то, что вы позволили себе испытать негативную эмоцию или совершить какой-то поступок, который привел к переживаниям* («Я прощаю себе свою ненависть», «Я прощаю себе то, что позволила себя обмануть», «Я прощаю себе то, что я приняла на себя чужие страдания» и т. д.);

• *у своего тела за то, что вы причинили ему боль, впустив в него эти переживания* («Я прошу прощения у моего тела за то, что я причиняла ему боль, испытывая злобу к моему мужу», «Я прошу прощения у моего тела за то, что причинила ему боль, сделав его вместилищем моего чувства вины по отношению к детям», «Я прошу прощения у моего тела за то, что сделала из него помойку, собирая в нем все мои осуждения и недовольства»).

Составив для себя комплект из трех фраз, отражающих вашу реальную ситуацию, нужно повторять их много-много раз. При этом происходит чистка накопленного в теле эмоционального негатива, и оно выздоравливает. Конечно, так бывает, если причиной заболевания было именно накопление негатива, а не еще какая-нибудь причина.

Попросим прощения у больного органа. Если мы просим прощения у всего тела, то не грех попросить прощения и конкретно у больного органа. Ведь почему у нас что-то заболевает? Это происходит, если *мы сами* не снабжаем организм достаточным количеством требуемых ему микроэлементов (например, так возникает авитаминоз). Либо мы сами перегружаем его — так возникает цирроз печени при избыточном употреблении алкоголя. Либо мы складируем в нашем теле эмоциональную грязь, оно не выдерживает и заболевает. Либо мы сами вынуждаем тело заболеть, если извлекаем из этого какую-то выгоду. В общем, *само по себе тело заболеть не может*, болезнь всегда является следствием каких-то наших мыслей, эмоций или поступков. А больной орган — это то слабое место, которое не выдержало созданных нами же проблем. Так что *обратиться напрямую к больному органу и попросить у него прощения —* дело очень невредное.

Формулировка прощения может быть любая. Если вы осознали, какие именно ваши поступки привели к его заболеванию, то нужно сосредоточиться на этом. Если непонятно, почему же болит именно этот орган, то можно просто просить у него прощения за то, что вы довели его до болезни. Такое обращение может дать хороший и быстрый эффект, если причиной вашего заболевания было накопление эмоционального негатива.

Конечно, комфортнее шарахнуть по больному органу лекарствами или каким-то электронным прибором, но негатив от этого не уйдет, а будет ждать возможности проявиться еще где-то. Так что лучше усмирить гордыню и ласково попросить у больного органа прощения за свои проступки по отношению к нему.

В Центре «Разумный путь» разработаны *специальные 20-минутные записи медитации прощения других людей, медитации прощения себя и медитации прощения своего тела (три разные медитации на аудиокассетах и компакт-дисках).* Профессиональный диктор на фоне специально написанной музыки говорит слова, которые вам нужно повторять про себя. Многократное прослушивание записей позволяет очень хорошо очистить свое эмоциональное тело от негатива. *Эти записи можно приобрести в Центре или получить по почте.* Информация об условиях приобретения кассет приведена в конце книги.

Переживаем заново. Понятно, что прощение — далеко не единственная техника на пути избавления от накопленного эмоционального негатива. Существует множество профессиональных психотерапевтических подходов, заставляющих нас вновь пережить эмоциональный стресс и тем самым лишить его силы. Например, именно так работает дианетический одитинг.

Более массовый способ, не требующий привлечения профессиональных психотерапевтов, — это техники интенсивного дыхания, носящие название «ребефинг», «холотропное дыхание» или «вивейшн». Участники этого процесса вновь переживают все испытанные ранее стрессы (вплоть до самого первого, когда при родах ребенок из водной среды в чреве матери впервые выходит на воздух). При этом негативные мыслеформы энергетически истощаются, и эмоциональное тело становится чистым, как у младенца, особенно после пяти-семи сеансов. Этот метод хорош, но его почти невозможно выполнять в одиночку, требуется ведущий.

Перекодируем прошлое. Еще один профессиональный способ избавления от влияния прошлых стрессов — это процедура перекодирования, которая называется *холодинамика* [46, 47]. В ходе этого процесса ведущий задает вопросы по определенному алгоритму, а пациент, лежащий с закрытыми глазами, рассказывает о том, какие видения, образы и мысли возникают в ответ на его внутреннем экране. Выявив символическую форму негативного воспоминания (так называемый незрелый холодайн), ведущий помогает пациенту мысленно перекодировать ее.

Особенностью процесса холодинамики является то, что перекодирование производится не принудительно (как при гипнозе), а путем выяснения того, чего хочет тот негатив, который поселился в вас. Если вы даете ему то, чего он хочет (обычно это любовь, внимание, уважение, признание), то он уходит бесследно. А вместе с ним уходит и то заболевание, которое он инициировал.

Метод подсознательного программирования. Еще один метод подсознательного программирования предложен В. Синельниковым [47]. В его методике прослеживается влияние К. Кастанеды, С. Лазарева и холодинамики, но есть и совершенно оригинальные идеи.

Он исходит из того, что все болезни мы создаем себе сами, накапливая в себе негативные переживания и мысли. Но у него впервые в *каждой негативной эмоции рассматривается скрытое позитивное намерение*, которое она несет. Например, для такой эмоции, как *презрение*, положительное намерение может состоять в желании изменить окружающий мир и людей, желании избавиться от безнравственных и непорядочных людей, от бедных и некрасивых. Чтобы мир стал красивее, чище и гармоничнее.

Гордыня несет в себе позитивное намерение чувствовать свою уникальность, ценность и исключительность в этом мире, стремление к собственному совершенству и к совершенству окружающего мира.

Для устранения заболевания нужно мысленно обратиться к той части своего подсознания, которая отвечает за болезнь, и выяснить, какие ваши черты характера или мысли привели вас к болезни. Получив ответ, нужно попросить его сообщить, какое ваше положительное намерение оно пробовало реализовать таким образом. И потом попросить его найти другой, безболезненный путь для реализации этого же намерения.

Конечно, это только краткий пересказ основной идеи методики, она содержит довольно много важных нюансов, включая мысленное перекодирование тех событий, которые оказывали влияние на вашу жизнь.

Даем телу встряску. Еще один популярный способ избавиться от накопленного эмоционального негатива — *дать организму сильную эмоциональную встряску*. Конечно, это должно быть положительное переживание, а не прыжок из самолета без парашюта или очередная драка с соседом.

Это переживание должно вызвать у вас сильный подъем адреналина в крови. Лучше всего это обеспечивают экстремальные виды спорта — горные лыжи, дайвинг, гонки, прыжки с парашютом и так далее. Если в процессе этих занятий вы испытали очень острые приятные ощущения, то все в порядке — ваше эмоциональное тело встряхнулось и вытеснило накопленный негатив. Многие люди инстинктивно чувствуют это и ищут разрядку от напряженного ритма работы и связанных с этим переживаний именно в экстремальных видах отдыха и развлечений.

Наверное, существует еще множество способов очистки эмоционального тела. Если они вам известны, то пользуйтесь ими на здоровье. Хорош любой способ, лишь бы он приносил вам успокоение и позволял забыть о прошлых негативных ситуациях.

А мы тем временем подведем итоги.

Итоги

1. Некоторые наши заболевания вызваны накоплением негатива в нашем эмоциональном теле.

2. Лучший способ избавления от подобных заболеваний — не испытывать длительных негативных эмоций.

3. Большинство людей не могут удержаться от негативных переживаний. Чтобы оставаться здоровыми, им нужно периодически чистить свое эмоциональное тело от накопленного негатива.

4. Для чистки от негатива можно использовать различные техники прощения, то есть просить прощения у жизни, у своего тела или у больного органа.

5. Существует немало психотерапевтических практик, позволяющих самостоятельно или с помощью специалистов избавиться от накопленного эмоционального негатива. Годится любой способ, лишь бы он действовал и помогал вам.

Глава 6

Поработаем головой

В самом начале наших рассуждений мы пришли к выводу, что здоровье — это понятие комплексное, подразумевающее здоровое состояние всех составляющих человеческого организма. Понятно, что голова без заморочек или чистое ментальное тело играют далеко не последнюю роль в состоянии нашего здоровья. Чтобы быть здоровым физически, нужно быть «здоровым на голову», в числе всего прочего.

В первой главе мы подробно рассматривали, каким образом наш ментал может привести к заболеванию физического тела. Теперь пришла пора рассмотреть, что же можно использовать для чистки нашего ментального тела на пути к здоровью. То есть пришла пора начать работать головой.

Для начала рассмотрим пути избавления от болезней, вызванных тем, что мы неосознанно реализуем какие-то негативные установки, оказавшиеся в нашем подсознании.

Избавляемся от негативных установок

Если вернуться к идеям общей теории кармических взаимодействий, то можно припомнить, что пятый (из шести) способ разрушения наших идеализаций заключается в том, что *Жизнь реализует те программы, которые имеются в нашем подсознании*. Точнее, руководствуясь этими программами, мы сами принимаем решения, которые рано или поздно приводят к их исполнению. Это касается всех сфер жизни человека: личной (я никогда не выйду замуж!), взаимоотношений с людьми (почему вокруг меня одни уроды?), работы (я никогда не найду работу по душе!), денег (деньги достаются только тяжелым трудом) и так далее. Естественно, здоровье тоже зависит от того, какие идеи на эту тему имеются в нашей голове.

Мы уже рассказывали, что негативные программы относительно своего здоровья мы можем получить от родителей, знакомых или посторонних людей. Общественное мнение, даже явно не выраженное, тоже является мощным источником негативных установок на тему здоровья (стыдно в пятьдесят лет думать о любви). Врачи и фармацевты, озабоченные своим благополучием, тоже не скупятся на прогнозы, которые мы потом вынуждены оправдывать. Средства массовой информации всех видов буквально соревнуются в описании тех ужасных условий, в которых мы еле-еле выживаем. В итоге голова каждого из нас забита разного рода страхами и негативными убеждениями, касающимися нашего здоровья. А что в голове, то и в жизни — об этом мы уже много раз повторяли.

В общем, путей получения разного рода неосознаваемых установок о том, что мы уже больны или обязательно должны заболеть, существует множество. А путей избавления от них совсем не так много.

Осознаем свои установки. Первым шагом на пути избавления от внутренних негативных установок является *их осознание.* То есть нужно понять, какими идеями относительно своего здоровья вы руководствуетесь.

Нужно сказать, что это совсем не просто. Но сделать это, то есть *четко сформулировать и записать свои мысли на эту тему*, все же необходимо.

Для этого можно вспомнить, что говорят о вашем здоровье окружающие люди. Какие стереотипы поведения и мысли относительно здоровья существуют в той среде, в которой вы вращаетесь. Что вы сами думаете о своем здоровье?

Некоторым подспорьем в ваших размышлениях могут служить следующие наводящие вопросы.

Сколько лет вы собираетесь прожить?

Во сколько лет наступит ваша старость?

Как влияет на ваше здоровье ваша работа?

Как влияет на ваше здоровье ваш образ жизни?

Как влияет на ваше здоровье ваша система питания (алкоголь, курение)?

Как влияют на ваше здоровье отношения с близкими людьми?

Как влияет на ваше здоровье место, где вы живете?

Чего вам не хватает, чтобы быть здоровым человеком?

Вы должны очень честно ответить себе на эти и подобные вопросы. Если в ходе этих размышлений вы обнаружите какую-то мысль или убеждение, которые направлены на ограничение вашего срока жизни или могут спровоцировать заболевание, то вам нужно их тут же записать на бумагу.

Понятно, что чем более вы здоровы, тем меньше подобных установок вы можете у себя «накопать». Если же хвори уже давно одолевают вас, если они стали частью вашей жизни и вы уже забыли, как это — быть здоровым, то в вашей голове наверняка поселилось множество мыслей о том, что «ничего исправить уже нельзя», «здоровье ушло, и его ничем не вернуть».

Если вы пали духом и надеетесь только на врачей и лекарства, то смело записывайте себе такие программы: «От меня ничего не зависит», «Я жду чуда, а его нет и нет», «Мое здоровье в руках врачей», «Хороший врач стоит дорого, у меня не хватит денег для лечения» и им подобные.

В общем, десяток-полтора пораженческих мыслей на тему здоровья найти у себя можно без особого труда.

Конечно, смысл этого задания не состоит в том, чтобы придумать себе как можно больше негатива, — *нужны только реальные мысли*, которые могут отрицательно повлиять на ваше здоровье.

Составляем аффирмацию. «Накопав» в себе некоторое количество негатива, нужно от него избавляться. Точнее, нужно *изменить его на позитив* — организму все равно, что исполнять, а нам с вами это далеко не безразлично.

Для избавления от негативных программ существует простой метод — самопрограммирование с помощью аффирмаций. Под аффирмацией мы понимаем положительное утверждение, противоположное по смыслу вашей негативной программе.

Два типа аффирмаций. Как и ранее [2, 4, 9], при составлении аффирмаций возможны два подхода.

При первом подходе с помощью аффирмации *меняете ваше отношение к какому-то вопросу*, ничего не меняя в реальной жизни (кроме мыслей, разумеется). Например, отрицательное убеждение типа: «В нашей семье долго не живут» вы меняете на положительное: «Начиная с меня, все члены нашей семьи становятся долгожителями!» В результате ваш организм получает новую программу и начинает отрабатывать ее.

При втором подходе вы составляете такую аффирмацию, которая *заставит вас изменить привычный вам ритм жизни* или совершить еще какие-то поступки, которые вы раньше не делали. Например, на убеждение типа: «При моей работе невозможно быть здоровым» вы составляете аффирмацию: «Я имею интересную работу, которая помогает мне укрепить здоровье!» И после этого вы действительно *делаете шаги по изменению режима работы или по поиску нового места работы*. Возможно, вы и раньше подумывали об этом, но не решались что-то делать. А теперь аффирмация явилась тем «пинком», который придаст вам начальное ускорение на пути к поиску нового места работы (и здоровья заодно).

Примеры аффирмаций. Приведем примеры некоторых негативных программ и противоположных им по смыслу аффирмаций. В конце в скобочках укажем, к какому типу (первому или второму) относится данная аффирмация.

Негативная программа	Положительное утверждение
Мое здоровье зависит только от врачей	Я сам решаю, какое здоровье у меня должно быть. Я выбираю отличное здоровье! (1).
В моем возрасте все болеют	С каждым годом я становлюсь все здоровее и крепче! (1).
Мне бы только дотянуть, пока ребенок вырастет, а там можно и умереть	Я — божественное создание и живу своей жизнью. Моя жизнь не менее ценна, чем жизнь любого другого человека, поэтому я постоянно забочусь о своем здоровье! (2).
В нашей местности долго не живут	Я живу, здравствую и становлюсь здоровее в любом месте, где я нахожусь! (1). Я выбираю себе для жизни место со здоровым климатом, и Жизнь помогает мне в этом (2).
Хороший врач стоит дорого, у меня не хватит денег для лечения	Жизнь всегда готова прийти мне на помощь и дать мне того врача, который окажет самую лучшую помощь (1).
Если я не стану пить это лекарство, я заболею	Я здоров независимо от того, что я ем или пью! (1).
Надвигается эпидемия, я боюсь опять заболеть	Болезнь застигает только слабых духом, а я сильный человек! (1).
У нас на работе грипп, я обязательно заражусь	Я абсолютно здоровый человек! Все микробы дохнут в радиусе пяти метров от меня! (1).

Негативная программа	Положительное утверждение
При моем образе жизни невозможно оставаться здоровым	Я перестраиваю свою жизнь таким образом, чтобы у меня всегда было время заняться своим здоровьем! (2).
Моя работа сведет меня в могилу	Я превращаю свою работу в медитацию, и она укрепляет мое здоровье (1). Я строю свою работу таким образом, чтобы у меня осталось время на занятия спортом (2).
Если здоровья нет, это Бог за грехи наказывает	Бог есть любовь, он любит и заботится обо мне. Я сам создал себе болезни, и я сам от них избавлюсь (1).
Здоровье либо есть, либо его нет, от меня ничего не зависит	Я сам создаю свою реальность. Я создаю себе здоровое тело и здоровую жизнь! (1, 2).
Если ты проснулся и у тебя ничего не болит, то ты уже на том свете	Человек рождается для радости и только своими ошибками портит свое здоровье. Я смело исправляю все, что считаю нужным! Я абсолютно здоровый человек!

Понятно, что невозможно предусмотреть все множество страхов, сомнений и прочих нерадостных мыслей о своем бедственном состоянии здоровья, которые сидят в голове разных людей. Эту работу каждый человек должен проделать индивидуально (она проводится на тренинге здоровья нашего Центра «Разумный путь»).

Вам нужно выявить все свои негативные программы и составить себе противоположные по смыслу аффирмации, а затем *много-много раз повторять их*. Повторять их нужно до тех пор, пока они не станут частью вашей жизни, вашей повседневной реальностью. И тогда организму не останется ничего, кроме как выполнить ваше новое указание.

Не слишком быстро, но надежно. Мы уже давали ранее разные рекомендации по работе с аффирмациями, приводили некоторые особенности их составления (в аффирмации должны быть местоимения «я» или «мне», нежелательны отрицания и слишком длинные фразы, аффирмация должна нравиться вам и т. д.) [2, 4]. В данном случае справедливы все эти требования.

В общем, вперед, к очистке головы от всякого негативного мусора! Понятно, что результат будет не скоро, по мере очистки от одних программ будут всплывать из памяти или как-то выявляться следующие, и это хорошо. Если такое будет наблюдаться, это значит, что *вы стоите на верном пути*, который рано или поздно приведет к полной чистоте вашего подсознания от негатива, отрицательно влияющего на ваше здоровье. И тогда вам ничего не останется, как быть здоровеньким (конечно, при условии чистки всех остальных тел). Чего мы вам и желаем (не сочтите это пожелание за очередной тост).

Целители запускают наши программы. *Вера дает внутреннюю команду организму на выздоровление* (путем инициации более активной работы иммунной системы человека). Именно на этом принципе основан *эффект индивидуального и массового целительства* — чем сильнее вера людей в силу целителя (чем сильнее его харизма), тем больше вероятность, что они выздоровеют. Целитель не может исцелить всех, но *он может помочь многим людям запустить механизм самоисцеления — тем, кто ему поверит.*

Эффективность процессов целительства часто зависит от уровня развития и образованности больного, причем обычно эта зависимость обратная. Чем выше уровень образованности человека, тем больше он подвержен сомнениям и тем менее склонен к слепой и безосновательной вере во всемогущество какого-то целителя. Даже если целитель будет демонстрировать явные чудеса (вплоть до оживления мертвых, что делал Иисус Христос), образованные люди будут сомневаться и искать, каким образом их дурачат в очередной раз. Люди с более низким интеллектом более склонны к слепой вере, поэтому они лучше поддаются влиянию целителей.

Но нужно сказать, что даже запуск механизма самоисцеления не есть гарантия выздоровления на длительное время. Если вы днем ругаетесь со своими родными, а вечером идете на сеанс целительства, то механизм самоисцеления будет запущен и даст явное облегчение. Но если вы возвращаетесь домой и продолжаете ругаться, то эффект будет очень кратковременным. Накопленный эмоциональный негатив вновь разрушит все усилия организма выздороветь. Так что *исцеляться нужно тотально*, сразу на уровне всех тел.

Если вы сомневаетесь в действенности целителя, то эффект от его воздействий будет либо минимальным, либо никаким. Ваш организм не получит от вас команды на выздоровление, и ничего хорошего не произойдет. Поэтому если вы хотите получить эффект, то *подавляйте все сомнения*, тогда результаты воздействия на вас будут значительно выше.

Конечно, здесь можно перейти в другую крайность и стать наивным чудаком, верящим всем без разбора. Выздороветь так действительно можно, но оказаться обманутым еще легче. Поэтому лучше всегда делать осознанный выбор и *подавлять все сомнения после того, как вы приняли решение воспользоваться услугами какого-то специалиста*. А иначе затраченные вами средства и время уйдут впустую.

На этом мы заканчиваем рассуждения о самопрограммировании и переходим к итогам.

Итоги

1. Чтобы быть здоровым, нужно, чтобы в нашем подсознании не было никаких установок, направлен-

ных на ухудшение нашего здоровья или уменьшение длительности жизни.

2. Чтобы избавиться от негативных программ, нужно сначала их выявить и зафиксировать на бумаге.

3. Затем для каждой негативной программы составляется аффирмация, то есть противоположное по смыслу утверждение.

4. Аффирмации нужно повторять много-много раз, пока они не вытеснят негативные программы из подсознания. Тогда ваш организм начнет исполнять новые программы, положительно влияющие на ваше здоровье.

5. Целители, особенно пользующиеся большой популярностью, внушают людям программы на выздоровление, и их организм начинает исполнять эти программы.

6. Внешнее программирование на здоровье даст полноценный и длительный эффект в том случае, если человек подходит к своему здоровью комплексно, то есть обеспечивает чистоту и здоровье всех своих тел.

Поищем другие выгоды

При рассмотрении различных источников заболевания мы неожиданно выяснили, что многим людям болеть выгодно, поскольку они извлекают из болезни какую-то пользу. Обычно люди не задумываются о том, почему они заболели в той или иной ситуации, какой их внутренний «заказ» привел к появлению заболевания. Мы уже не раз отмечали, что разумность подавляющего большинства людей сильно преувеличена, и приведенные выше наблюдения еще раз подтверждают это.

С другой стороны, если люди умеют «заказывать» себе болезни, то, значит, они так же *могут «заказы-*

вать» себе и здоровье! Это не очень просто, но некоторые идеи на этот счет мы изложим в последней главе книги.

Понятно, что стремиться к здоровью можно, если вы согласны не болеть. А если болезнь вам нужна? Тут уж возникает ситуация, когда вы даете своему организму команду типа: «я хочу того, чего я не хочу» (то есть здоровья). Он, бедный, мается, пытаясь понять, чего же вы хотите в реальности. Так что *нужно для начала определиться*, чего же вы хотите и согласны ли вы быть здоровым, и только потом браться за лечение. Иначе толку от лечения не будет. Здесь возможны два варианта развития событий.

Болезнь вам не нужна. Допустим, вы проанализировали, какие выгоды дает вам болезнь и каким образом вы себе ее «заказываете», и пришли к определенным выводам. Например, вы поняли, что те потери, которые вы несете из-за болезни, значительно превышают те выгоды, которые вы изредка получаете, будучи больным (внимание окружающих, отдых, избавление от неприятного дела и т. д.). И *вы принимаете твердое решение, что болеть вам невыгодно.* Что нужно делать в такой ситуации?

Нужно *научиться отслеживать начальные стадии заболевания*, и, как только оно проявилось, *начинать искать, зачем вам нужна эта болезнь.* Как только вы обнаружите, какую выгоду ожидаете (неосознанно) получить от заболевания, примите срочные меры к тому, чтобы *уничтожить эту выгоду или получить ее другим путем.*

Например, вам предстоит встреча с неприятным вам человеком, а вы не видите повода, чтобы отказаться. Как только вы чувствуете, что начинаете заболевать, вы спохватываетесь и принимаете какое-то решение. Либо вы решаете все же идти на эту встречу, либо сразу же звоните и отменяете ее, ссылаясь на любые обстоятельства, кроме болезни. Выгода ушла, а вместе с ней уйдет и болезнь, поскольку она становится ненужной.

Или вам захотелось отдохнуть, но вы знаете, что вас никто не отпустит с работы. Вы устали, у вас накопилось раздражение, и вы чувствуете, что заболеваете. Чтобы не болеть, нужно срочно «подзарядить» организм энергией. Бросьте все домашние дела и в ближайшие выходные сразу на два дня отправляйтесь на активный отдых. Не в гости к родственникам, где вы будете без конца есть и пить, а в место активного отдыха (спортивный клуб, спортивная база и пр.). Два дня активных занятий спортом вышибут из вас все зачатки заболевания.

Конечно, здесь нужно будет поработать над своими идеализациями: *общественного мнения* (как же это я пойду бегать на лыжах? Люди скажут, что совсем крыша съехала), *совершенства* (я уже стар, чтобы заниматься спортом, это надо было делать в молодые годы), *красоты и внешнего вида* (у меня нет соответствующей одежды для спорта) и так далее. Этот поступок, кроме здоровья, станет для вас *очередной ступенькой на лестнице духовного роста*, поскольку вы усилием воли сумеете «наступить» сразу на несколько своих идеализаций.

В общем, принцип понятен. Как только осознали, что болезнь может принести потенциальную выгоду, сразу же предпринимаете резкие шаги к изменению ситуации. Нет потенциальной выгоды болеть — нет болезни.

Болезнь вам нужна. Более сложный случай наступает тогда, когда вы осознаете, что болезнь вам нужна и *вы не можете от нее отказаться*. Без болезни ваша жизнь может потерять смысл, вы утратите инструмент влияния на окружающих, не сможете добиваться своих целей и так далее. В общем, жизнь без болезни вам совсем не в радость. Но и болеть вам не в радость, неприятное это все же дело. Получается, что *вам нужно болеть и нужно не болеть одновременно*. Как тут быть?

Ситуация, конечно, сложная, но нередко встречающаяся в жизни. В теории изобретательства есть два типовых приема разрешения ситуации, когда к одному и тому же объекту предъявляются противоположные требования. Это приемы разнесения противоречивых требований во времени и в пространстве.

Разносим во времени. Если попробовать разнести противоречивые требования во времени, то получается, что нужно *договориться со своим организмом о том, чтобы болезнь активизировалась в одно время и проходила в другое.*

Надо отметить, что в жизни нередко так и бывает. Например, у неработающих пенсионеров болезни обычно обостряются зимой, когда им нечем заняться. И проходят весной, когда они уезжают на дачу, где много работы и некогда болеть.

Этот же подход может реализоваться в меньшие промежутки времени. Вам нужно припугнуть своих непослушных родственников — болезнь обостряется, и они получают свою порцию вины за ваши недомогания. Они стали послушными, и вам незачем больше пугать их — болезнь отступает до нового случая, когда вам потребуется быть очень больным, и так много раз.

Разносим в пространстве. Если попробовать разнести противоречивые требования в пространстве, то получается, что *вам нужно болеть в одном месте, и быть здоровым в другом.*

Здесь опять же напрашивается аналогия с дачей — в этом месте нельзя болеть, в отличие от дома.

Может быть, болезнь должна обостряться, когда вы идете к врачу или к знакомым, с которыми обмениваетесь информацией о ходе заболевания. А в другом месте болезнь вам ни к чему, и вы про нее забываете.

Наверное, существуют еще какие-то выходы из этой ситуации. Но вам нужно понять одно — *если болезнь вам нужна, то не ждите, что какой-то врач или лекарство вас вылечит.* Скорее всего этого не будет, поскольку в ответ на одну вылеченную болезнь вы тут же придумаете пару новых. Или ваша болезнь примет такую запутанную форму, что ваш диагноз будет занимать полстраницы мудреных латинских слов, а врачи будут только недоумевать, как вы умудрились все это заработать.

Поищем другие выгоды. Еще один возможный выход из ситуации, когда от болезни отказываться не хочется, — *попробовать поискать другие выгоды.* Что это значит? Поясним эту мысль.

Например, вы нигде не работаете и ничем не увлекаетесь. Борьба с болезнями занимает все ваше время и силы, это способ вашего существования. Если вы будете совсем здоровы, то у вас не останется никакого занятия. То есть быть здоровым вам невыгодно — в вашей жизни не остается ничего, чем можно было бы заняться.

Вот тут стоит задуматься — а не слишком дорогую цену вы платите за то, чтобы занять свое свободное время? Может быть, можно подыскать что-то менее болезненное? Может быть, стоит заняться рисованием, вышиванием, иностранным языком или чем-то еще, благо, выбор занятий очень велик? Вы можете спросить, зачем вам английский на старости лет? Очень даже нужен. *Изучая что-то новое, вы тем самым будете исполнять свое предназначение.* Каждая душа, пришедшая в наш мир, должна развиваться. Обучение чему-то есть процесс развития. Так что лучше тратить деньги на обучение, чем на лекарства, подумайте над этим. Только заниматься обучением нужно с таким же энтузиазмом, с каким вы боретесь со своим заболеванием. И *начинать заниматься другим делом нужно прямо сейчас*, пока вы больны. А не ставить себе условие типа: вот когда выздоровею, то займусь английским. Не выздоровеете и не займетесь. А если вы займетесь им прямо сейчас, то ваш организм поймет серьезность ваших намерений и перестанет отвлекаться на такую никому не нужную вещь, как болезнь. В итоге вы незаметно для себя выздоровеете (понятно, что не от одного английского, а от комплекса мер по оздоровлению всех ваших тел).

Если болезнь вам нужна, чтобы манипулировать окружающими, то, может быть, стоит поработать над собой и перестать командовать окружающими, какими бы глупыми и беспомощными они вам ни казались. Сделав такой шаг, вы сразу далеко продвинетесь на пути духовной эволюции, а иначе Жизни придется разрушать вашу *идеализацию контроля окружающего мира* в вашем следующем воплощении.

Начинайте прямо сейчас. Конечно, сделать все это не просто. Хочется сначала выздороветь, а потом заняться саморазвитием. Но так не получится. Многие люди хотят сначала достичь какой-то цели (выйти замуж, родить ребенка, получить работу, выздороветь) и только потом начать радоваться жизни и заниматься своим развитием. К сожалению, этот фокус не проходит, начинать радоваться нужно именно сейчас, какой бы ни была ваша текущая ситуация. И переключаться на вышивание или английский нужно именно сейчас, когда вы еще больны. Если вы увлечетесь новым делом, то болезнь станет просто досадной помехой и уйдет сама собой (с вашей помощью, разумеется). Она уже станет вам ненужной, и курс лечения даст быстрый эффект.

Таковы наши рассуждения по поводу того, как перестать «заказывать» себе новые болезни или цепляться за старые. Надеемся, вы сумеете извлечь из них пользу. А мы тем временем подведем очередные итоги.

Итоги

1. Многие люди неосознанно «заказывают» себе заболевания, поскольку получают от них выгоду. Поэтому желательно проанализировать свою ситуацию и понять, нужна или не нужна вам эта болезнь.

2. Если болезнь вам однозначно не нужна, то рекомендуем как можно раньше получить или уничтожить ту выгоду, которую она в потенциале может вам дать.

3. Если вам сложно отказаться от тех выгод, которые приносит болезнь, то нужно попробовать сделать так, чтобы она возникала именно в то время или в том месте, где вы получаете свою выгоду, и отступала во все остальное время.

4. Можно попробовать отказаться от выгод, извлекаемых из болезни, или поискать другие выгоды, не связанные с необходимостью болеть.

5. Если болезнь вам нужна, то не стоит обвинять медицину в том, что вы никак не можете выздороветь, — она бессильна против вашего неосознаваемого желания быть больным человеком.

Прощай, идеализация!

Еще одной возможной причиной появления болезни, источник которой находится в нашем ментале, является наличие «воспитательных» процессов по разрушению идеализаций.

Если у вас есть явная идеализация и у Жизни нет возможности разрушить ее во внешнем мире, то она использует заболевание. Напоминаем, что под идеализацией мы понимаем избыточно важную для нас идею, при разрушении которой у нас возникают длительные негативные переживания.

Как можно бороться с идеализациями, мы уже подробно рассказывали в предыдущих книгах [2, 4]. В случае с болезнями годятся все приведенные там стандартные подходы. Рассмотрим их еще раз применительно к теме здоровья.

Избавиться почти нельзя. Прежде всего нужно напомнить, что избавиться от очень значимых для нас идей очень сложно, почти невозможно. Мы получаем их либо прямо при рождении, либо в детстве, и полный отказ от них требует серьезной переделки себя. Большинству людей это явно не под силу.

Зато *можно избавиться от длительных негативных эмоций, когда значимая для вас идея как-то разрушается.* Тем самым эта очень значимая для вас *идея перестанет быть идеализацией* и просто остается вашим идеалом, к которому вы стремитесь. И если он как-то будет нарушаться, вы не станете испытывать сильных и длительных переживаний, поскольку мир многообразен и не обязан быть таким, как вы его себе представляете. А если вы сильно упираетесь в борьбе за свои идеалы, то Жизнь делает вас больным, и ваша идея все равно не реализуется. А стоит ли она таких жертв?

Как обнаружить «воспитательные» процессы. Как же выяснить, является ли болезнь следствием кармического «воспитательного» процесса или вызвана чем-то другим? Для этого опять же нужно включить ваше сознание и логическое мышление. У кого с этим трудно, можно полагаться на интуицию — это тоже хороший способ.

Источником заболевания является кармическое «воспитание» в том случае, когда с его появлением *разрушаются очень важные для вас идеи.*

Вспомним пример с сахарным диабетом. Девушка с идеализацией независимости неожиданно заболевает диабетом и с ужасом обнаруживает, что *она стала очень зависимой* от режима инъекций лекарства. Тем самым ее идея полной независимости оказалась разрушенной.

Если у вас есть идеализация красоты и вы постоянно тревожитесь, достаточно ли хорошо вы выглядите, то у вас может появиться дефект на коже. Любые лечебные процедуры могут не помогать или давать только временный эффект. В результате ваша идея о том, что вы всегда должны быть на высоте, окажется нереальной.

Идеализация способностей может проявляться в твердой уверенности в том, что ваше здоровье бесконечно и неисчерпаемо и его ничем нельзя загубить. В итоге у вас возникает язва желудка, которая разрушает ваш разгульный ритм жизни и вашу идею заодно.

В случае идеализации цели болезнь может полностью заблокировать возможность ее достижения.

В общем, если через болезнь разрушается какая-то очень значимая для вас идея, то *нужно начинать работать не с болезнью, а с идеализацией.*

Учимся не переживать. Идеализация проявляется в сильных переживаниях. Значит, чтобы не было идеализаций, нужно научиться не переживать сильно и долго. Переживать хоть и сильно, но недолго, вполне допустимо. А вот долго переживать категорически не рекомендуется, будет только хуже.

Как же можно не переживать, если значимая для вас идея нарушается? Здесь есть несколько рекомендаций.

Первый способ — использовать волю. Первый способ — это применить свою волю и *сознательно подавить нарастающее раздражение*, ярость, страхи или другую негативную эмоцию. Разумных оснований для такого поступка более чем достаточно. Любая негативная реакция есть проявление вашего несогласия с реальностью, не совпадающей с вашими ожиданиями. Но разве вы создавали этот мир, что беретесь судить, как и что здесь должно происходить?

Поэтому постарайтесь как можно раньше спохватиться и подавить свои сильные переживания. Помочь здесь может следующий прием.

Втягиваем лучи раздражения обратно. Если посмотреть на человека через специальную аппаратуру, воспринимающую энергии эмоционального плана, то можно увидеть, что в возбужденном состоянии от него во все стороны расходятся энергетические потоки. Если это положительные эмоции, то энергии имеют яркие и светлые цвета. Если эмоции негативные, то цвета темные. Но все же это ваши энергии, которые вы выбрасываете в окружающий мир (именно ими «кормятся» сущности нижнего астрала). А нужно вам их кормить?

Поэтому, находясь в возбужденном состоянии, представьте себе, как из вашего тела во все стороны расходятся лучи серого или коричневого цвета. А затем представьте, что вы втягиваете их обратно в себя, все без остатка!

Если вы проделаете этот прием, то тут же успокоитесь, ваша энергетика останется в полной сохранности.

Уговариваем себя отказаться от переживаний. Есть еще один прием — мысленный отказ от переживаний.

Он состоит в том, что, осознав наличие у себя идеализации, вы мысленно говорите самому себе примерно следующие слова: «Я прошу прощения у Жизни за то, что придавал избыточное значение этому своему идеалу. Теперь я понимаю, что моя болезнь направлена на то, чтобы доказать мне ошибочность моих убеждений. Я понял и принял свой урок. Впредь я допускаю, что другие люди или я сам буду нарушать мои идеалы, но это — не повод для переживаний, а всего лишь повод для размышлений. Я больше не буду переживать, если моя идея не будет получать подтверждения. Мир прекрасен своим разнообразием, и я рад его совершенству».

Вы можете как-то дополнить или модернизировать эту мысль — главное, чтобы осталась ее суть: *вы позволяете другим людям (или самому себе) не соответствовать вашим ожиданиям.*

Подобный мысленный отказ от переживаний вы должны *проводить постоянно, по нескольку раз в день, не менее двух-трех месяцев.* Если вы будете делать это вполне искренне после каждого переживания, то негативные эмоции навсегда могут уйти из вашей жизни. А вместе с ними и ваша болезнь, поскольку у Жизни пропадет необходимость заниматься вашим духовным «воспитанием».

Второй способ — «наступить» на свою идеализацию. Второй способ, позволяющий отказаться от длительных переживаний, — это не только позволить другим людям нарушать ваши идеалы, но и *самому сделать что-то, что вы раньше считали недопустимым.* Это, конечно, сложно, но если вы примените волю и сознательно нарушите свои идеалы, то идеализация очень быстро перестанет пополнять ваш «сосуд» новыми переживаниями.

Что конкретно нужно сделать? *То, за что вы осуждали других людей, считая это недопустимым. Или то, что вы раньше осуждали в себе.*

Например, вы идеализируете общественное мнение и боитесь сделать что-то, за что люди могут вас осудить (например, заняться аэробикой в преклонном возрасте).

Для отказа от идеализации вы должны с удовольствием сделать что-то, что наверняка явится предметом пересудов. Причем сделать не с внутренним содроганием и самоосуждением, а легко, с удовольствием. Например, пробежаться в спортивном костюме по улицам родного города среди бела дня.

Конечно, люди станут обсуждать ваше поведение. Ну и пусть, позвольте им говорить все что угодно! Надо же им о чем-то говорить, доставьте им такое удовольствие! Вы много лет пытались строить свою жизнь так, чтобы они не смогли сказать что-то про вас, и такая жизнь уже «достала» вас. А теперь вы хотите жить не для них, а для себя!

Лучше всего начать «новую жизнь» достаточно резко, сразу став центром внимания. Один, два, три неожиданных поступка, и они примут вас в новом облике, то есть перестанут говорить о вас и станут искать новые темы для пересудов (то есть суждений).

А если и не перестанут, что ж, вы позволяете им быть несовершенными. Мир многообразен, и в нем должно быть место сплетням и пересудам. Вы это понимаете и не испытываете переживаний, когда предметом пересудов являетесь именно вы. И чем более резкое движение вы сделаете, тем нелепее вам будут казаться ваши прежние переживания: стоило ли так переживать по пустякам? Вы получите сразу несколько положительных эффектов от такого поступка, в том числе быстрое избавление от болезни.

Если же совершение каких-то поступков для вас абсолютно недопустимо, можем порекомендовать еще один способ — перекодирование своих переживаний с помощью аффирмаций.

Третий способ — работать с аффирмациями. Мы уже рассматривали, как можно работать с аффирмациями для отмены внутренних негативных программ. Поскольку любая идеализация проявляется в характерных негативных мыслях, то можно использовать аффирмации для перекодирования этих мыслей.

Мы не будем приводить здесь примеры аффирмаций, направленных на отказ от конкретных идеализаций, — этот вопрос достаточно подробно рассмотрен в предыдущих книгах [2, 4].

Здесь лишь заметим, что иногда работа с аффирмациями, не направленными напрямую на борьбу с заболеваниями, тем не менее приводит к выздоровлению.

Четвертый способ — получить удовольствие от переживаний. Еще один способ не накапливать длительных переживаний состоит в том, чтобы *научиться получать удовольствие от той негативной эмоции, которую вы в данный момент испытываете.*

Мы уже говорили, что большинство людей не могут совладать со своими эмоциями, это сильнее их. Если ни один из предыдущих способов не помогает вам, то попробуйте научиться *смотреть на себя как бы со стороны в то время, когда вы испытываете негативную эмоцию.* И попробуйте *искренне получить удовольствие от того высокоэмоционального (и высокоэнергетического) состояния, в котором вы в этот момент времени находитесь.* Начните восторгаться тем, как вы нервничаете, кричите или подпрыгиваете. Примерный ход ваших мыслей в этот момент может иметь вид: «Ух, как здорово я злюсь! Как классно дрожат мои руки, как бурлит энергия в моей груди! Какой высокий у меня голос, меня, наверное, слышно на сто метров вокруг! А сейчас я скажу ему, что о нем думаю, пусть не зазнается! Как я себе нравлюсь в этом состоянии! Какой я эмоциональный и страстный человек! Я — просто вулкан! Это здорово!»

Если вы сумеете свернуть свои мысли на этот путь, то *ситуация обесценится и ваши переживания вместо негативных станут позитивными.* Вместо осуждения других (или себя) вы начнете получать удовольствие от ситуации, а это уже совсем другие эмоции.

В общем, дерзайте. Главная идея этой главы проста. Вместо длительного негатива вы должны научиться переживать либо кратковременно, либо не переживать вовсе. И тогда Жизни не придется давать вам урок духовного «воспитания», поскольку вы научились принимать мир во всем его многообразии.

Успехов вам на этом пути! А мы пока подведем очередные итоги.

Итоги

1. Некоторые заболевания могут появиться для того, чтобы разрушить какую-то идеализацию человека.

2. Чтобы понять, не появилась ли болезнь в качестве «воспитательного» процесса, нужно посмотреть, что именно ухудшилось в результате вашего заболевания. Если оказалась разрушенной очень значимая для вас идея, то, похоже, ваша болезнь имеет «воспитательное» происхождение.

3. Чтобы избавиться от подобных заболеваний, нужно научиться не испытывать длительных переживаний, когда значимая для вас идея нарушается. Естественно, необходимо применять лечебные процедуры, но они уже не будут блокироваться.

4. Для отказа от длительных переживаний рекомендуется использовать четыре способа, любой из которых может дать необходимый результат.

«Заказываем» себе здоровье!

Теперь, когда мы избавились от всех блокирующих наше выздоровление факторов, осталось одно — *дать организму команду на выздоровление.* Сами вы это сделаете или вам помогут другие люди, значения не имеет. Важно, что организм должен получить такую команду и выполнить ее.

На тот счет, что из этого может получиться, существуют самые разные мнения.

Официальная медицина считает, что таким образом можно лечить только психосоматические заболевания (функциональные отклонения, вызванные расстройством нервной системы). Чаще всего они проявляются в виде болей в каком-то месте, а проведенное обследование не показывает никаких отклонений от нормы (имеет место искажение в эфирном теле, которое еще не проявилось в физическом теле). То есть ваши боли имеют мнимое, чисто психогенное происхождение. И лечить их лучше всего именно методами внушения и работы «с головой».

Если же у вас имеются реальные изменения в организме (соматические заболевания), подтвержденные результатами медицинского обследования, то методы внушения здесь малоэффективны, нужны более серьезные медикаментозные воздействия.

С этим не согласны разного рода целители, которые берутся и нередко (но не всегда!) действительно излечивают такие заболевания, которые медицина признала неизлечимыми и далеко не психосоматическими. Таких случаев имеется множество, поэтому закрывать на них глаза не очень умно, мы так поступать не будем.

Поэтому мы рассмотрим, какие же методы внушения организму команды на выздоровление сегодня существуют. Собственно, вариантов тут немного.

Стороннее внушение авторитетного лица. Ранее мы рассматривали случаи, как можно от авторитетного для вас лица получить негативную программу, которую вы затем будете отрабатывать всю жизнь [1, 4]. Но таким же образом можно получить и положительную программу на выздоровление.

Именно этим объясняется эффект массового целительства — на сеансах в кинотеатрах или даже по
телевидению, с помощью «заговоренных» книг, аму-
летов и прочих атрибутов, имеющих отношение к авторитетному для вас человеку.

Механизм тут несложен. Авторитетный для вас
человек с помощью определенных действий *дает
вам установку на выздоровление*. Вы без сомнений
принимаете ее и начинаете ожидать, когда она даст
свой эффект. Поскольку вы безоговорочно поверили
в нее, то ваш организм также принял ее к исполнению и запустил свои внутренние ресурсы для исполнения полученной от вас команды. Поскольку внутренних ресурсов почти всегда достаточно, чтобы изгнать заболевание (об этом говорит опыт гомеопатии,
которая работает только на собственных ресурсах
организма), то часто так и происходит.

Понятно, что это действует далеко не на всех. Такие методы хорошо работают на людей доверчивых,
открытых, вечно ожидающих чуда и не имеющих никаких сомнений. Обычно это люди с невысоким об-
разовательным и интеллектуальным уровнем, хотя
бывают и исключения.

Чтобы эффект внушения был сильнее, целители
приводят факты, подтверждающие эффективность
их воздействий. Они могут приводить самые необычные объяснения своего воздействия (рассказывать
про космические силы, неземных помощников или
живительные энергопотоки) — это даже хорошо, все
равно публика мало что понимает, ей достаточно
веры. Очень хорошо придумать какие-нибудь замо-
роченные ритуалы, которые очень строго нужно выполнять, — это еще больше добавляет веры в эффективность метода.

В общем, это работает, и нередко позволяет изле-
чивать самые разные заболевания [18]. Внешнее вну-

шение буксует тогда, когда на пути к здоровью стоят вполне реальные факторы — переполнение негативом и вытекающие из этого кармические «воспитательные» процессы, нежелание выздоравливать и некоторые другие обстоятельства.

Понятно, что классический гипноз относится сюда же. Другое дело, что реально работающих гипнотизеров совсем немного, и далеко не все люди подвержены этому виду внушения.

Но это путь внешнего внушения, а мы ищем пути самооздоровления. Что наработано на этом поле?

Аффирмации. Если вы достаточно критичны и не доверяете малопонятным целителям, то *вы можете сами запустить программу на оздоровления своего организма.* Понятно, что это не просто, но возможно.

Наиболее популярным методом является использование аффирмаций, в которых говорится о том, что вы здоровы [22]. Фактически это будет даже не аффирмация, а *формула «заказа» на создание события — вашего выздоровления.* Примеры подобных программ самовнушения: «Я абсолютно здоровый человек! У меня прекрасное здоровье! С каждым вдохом мое здоровье становится все лучше и лучше! У меня стопроцентное зрение! Мои почки работаю великолепно!» и т. д.

Понятно, что здесь действуют все те же ограничения, которые мы встречаем при формировании событий, — нельзя переживать, нельзя иметь избыточное количество накопленного эмоционального негатива, нельзя идеализировать цель. И тогда все может получиться.

Аффирмациями пользуются люди достаточно развитые, у которых обычно есть один общий недостаток — они любят сомневаться, у них нет безоглядной веры в чудо. Собственно, склонность к сомнению есть признак интеллектуально развитого человека. Но эта же склонность *мешает реализовать заданную себе же программу на выздоровление,* поскольку на каждое ваше утверждение типа «Я абсолютно здоровый человек» ваш внутренний критик будет выдавать комментарии типа: «Да какой ты здоровый, хватит обольщаться, посмотри на себя в зеркало» и т. д. Понятно, что пока вы не подавите этого критика внутри себя (это та же «словомешалка»), то особого толка от аффирмаций ждать не приходится. Ваш организм не примет новую команду к исполнению, пока она не станет вашей реальностью, пока вы сами не поверите в нее. Именно для этого аффирмации рекомендуется повторять много-много раз.

С помощью аффирмаций легко можно снять небольшие недомогания — слабый насморк, головную или какую-то еще не очень серьезную боль. Заболевания психосоматического характера (а их очень много) также неплохо устраняются с помощью аффирмаций. По-другому обстоит дело с более сложными заболеваниями — здесь аффирмации могут выступать как сопутствующее основному лечению средство, направленное на поднятие духа больного человека.

К явным достоинствам аффирмаций можно отнести то, что их можно использовать в любое свободное время, в любом месте.

Настрои Г. Сытина. Понятно, что помимо аффирмаций существуют более серьезные методы самовнушения, к которым относятся настрои Г. Сытина [48]. Если воспользоваться сравнением с оружием, то аффирмация — это винтовка. А настрой Г. Сытина — это тяжелая гаубица. Его настрои содержат десятки аффирмаций и занимают иногда несколько страниц текста.

Сытин не случайно пришел к созданию своей методики, которая получила название «Метод словесно-образного эмоционально-волевого управления состоянием человека», сокращенно СОЭВУС. В войну он, совсем молодой солдат, получил в бою ранение, которое привело его к инвалидности. Он не смирился со своим положением, а стал изучать психологию и методы, которыми народные целители помогали больным. Он изучил множество народных заговоров и *нашел в них те внутренние механизмы, которые оказывают исцеляющее воздействие на человека.* На основе своих исследований он составил программы для самовнушения и стал опробовать их на себе. В итоге в 1957 году он полностью выздоровел и был признан годным к строевой службе в армии.

Он продолжил свои исследования и создал более двух тысяч различных программ самовнушения, которые он назвал «настрои». Настрои построены по специальным правилам, в них много раз повторяются определенные слова, и это имеет свой смысл. Некоторые из настроев направлены против имеющихся в сознании людей негативных установок («Я уже старый, мне ничего не поможет»), другие направлены на оздоровление конкретных органов тела (на оздоровление сердечно-сосудистой системы, пищеварительной системы и т. д.).

Нужно отметить, что при использовании настроев *совсем не требуется вера в эффективность метода.* Имеются официально зарегистрированные случаи, когда настрои оказали свое оздоравливающее воздействие на людей, которые не верили в этот метод и критиковали его.

Настрои рекомендуется многократно прочитывать самому или прослушивать их записи. Это очень сильный метод самопрограммирования, который не получил еще достойной оценки.

Самопрограммирование в высокоэнергетическом состоянии. Еще один подход к внушению своему

организму программы на выздоровление используется в системе самооздоровления, предложенной
М. Норбековым [26, 27]. Подробнее мы расскажем
о ней в последней части книги, а здесь лишь заметим, что он предложил сначала войти в восторженное, почти экстатическое состояние, а затем прого-
варивать формулы самовнушения или представлять
себе образ молодости и здоровья (ОМЗ). В данном
случае не предъявляется никаких особых требований к формуле самовнушения, каждый человек по-
своему представляет себе здоровое состояние. Но *за
счет особого восторженного состояния* эта программа легко усваивается организмом и принимает-
ся к исполнению. Если вам удастся войти в это состояние и находиться в нем длительное время, то самопрограммирование может дать замечательные
результаты.

На этом мы заканчиваем рассмотрение техник
работы с ментальным телом и переходим к итогам.

Итоги

1. Освободившись от факторов, блокирующих возможность выздоровления, нужно дать своему организму команду на исцеление.
2. Команду на выздоровление можно получить от человека, слово которого значимо для вас и вы полностью доверяете ему.
3. Если вы имеете склонность к анализу и сомнениям, то внешнее внушение вам не подойдет. Тогда
вы можете составить себе внутреннюю программу
(аффирмацию) и много-много раз повторять ее.
Она даст эффект, когда вы сами поверите в нее.
4. Более сильным способом самовнушения является
использование настроев, разработанных Г. Сыти-
ным. Их можно читать самому, а можно прослушивать магнитофонные записи.

5. Еще один способ дать своему организму команду на выздоровление — это использование высокой энергетики восторженного, экстатического состояния. Если вы сумеете вызвать у себя это состояние и поддерживать некоторое время, то программа на выздоровление будет принята вашим организмом к исполнению.

Глава 7
Долой влияние прошлого!

В конце первой главы мы выяснили, что одной из причин возникновения заболевания может быть *та информация, которую принесла наша бессмертная душа из неведомого нам прошлого.*

Чистим кармическое тело. То есть, исходя из предложенной модели достижения здоровья, необходимо сделать так, чтобы и наша бессмертная душа была чиста и не оказывала плохого влияния на здоровье физического тела.

Эту мысль легче заявить, чем реализовать, поскольку проблемы из прошлого часто проявляются уже с момента рождения в виде врожденных заболеваний. А если с рождения произошли изменения в тканях и органах тела, то потом их очень трудно восстановить. Тем более что все усилия врачей или целителей будут блокироваться обитателями Тонкого мира, которые вовсе не заинтересованы в том, чтобы этот человек перестал испытывать страдания.

Это не значит, что Тонкий мир мстит человеку за совершенные им поступки. Никакой мести нет и быть не может. В рамках рассматриваемой нами энергетической модели взаимодействия между людьми и Тонким миром человек с большой «зрелой кармой» курируется обитателями самых нижних этажей астрала, которым нужны его негативные переживания. И они сделали так, чтобы он испытывал их в течение всей жизни.

Как можно облегчить эту ситуацию? Путей к здоровью здесь совсем немного. Возможно даже, что практически один.

Начинаем улыбаться. Прежде всего нужно усилием воли перестать быть «кормильцем» сущностей нижнего астрала. То есть, невзирая на любое состояние здоровья, *нужно перестать испытывать негативные эмоции и научиться улыбаться*, хотя бы через силу. Как именно можно это сделать, мы уже рассказывали. Характерная идеализация людей с врожденными заболеваниями — *идеализация жизни*, проявляющаяся в мыслях типа: «За что жизнь так несправедлива ко мне? Почему я должен так мучиться? Чем я хуже других людей? Почему должен мучиться я, а не они? Почему все так несправедливо устроено?»

Эти или подобные мысли способствуют заполнению «сосуда кармы» и тем самым блокируют возможность произвести какие-то положительные изменения. Выход может состоять в постоянном самопрограммировании с помощью аффирмаций типа: «Я доверяю жизни, она справедлива во всех своих проявлениях! Если я имею врожденное заболевание, то я понимаю, что сам как-то создал эту ситуацию. Я прошу прощения у жизни и у людей за все плохое, что я совершил когда-то! Я признаю справедливость жизни и радуюсь тому, что я имею! Я полностью доволен жизнью. Я стою на пути к полному выздоровлению!»

Конечно, эти методы больше годятся для условно здоровых людей, но что делать, специальных методов для людей с врожденными заболеваниями у нас нет.

Конечно, невысокие покровители из Тонкого мира не захотят отпустить своего «кормильца» просто так и всячески будут провоцировать его на новые переживания. Так бывает почти со всеми людьми, сознательно отказывающимися от переживаний, но по отношению к людям с большой «зрелой кармой» эти процессы могут быть более интенсивными. Если продержаться без переживаний месяца три-четыре, невзирая на все возрастающие сложности, то им надоест тратить свои силы и энергию на возвращение «кормильца» и они оставят его в покое. Они перестанут быть помехой на пути к выздоровлению. Поэтому первый шаг к выздоровлению — отказ от переживаний и переход в спокойное состояние духа.

Меняем информацию. Затем нужно постараться *перекодировать ту информацию, которая явилась источником врожденного заболевания.* Эта информация хранится в нашем кармическом теле, и считать ее может сам человек. Здесь существуют разные варианты считывания.

Например, информация может *прийти во сне,* если запрашивать ее у своего подсознания (или Ангела-хранителя) много раз подряд перед сном, в течение нескольких месяцев.

Другой путь — *регрессивный гипноз или реинкарнационная медитация.* Получив любым путем информацию о событиях, имевших место в вашей прошлой жизни, необходимо *сознательно перекодировать ее так, чтобы событие* (или череда событий) *закончилось благополучно.* Обычно такое перекодирование производится мысленно несколько раз. Тогда эта информация больше не будет оказывать влияния на строение вашего тела, и усилия врачей или целителей могут принести желанное облегчение. Само событие (или просто негативное поведение в прошлой жизни) изменить уже невозможно, оно давно закончилось. О нем осталась только память на уровне кармического тела, и эту память (то есть информацию) можно и нужно изменить так, чтобы она не влияла на ваше нынешнее здоровье.

К сожалению, здесь не все так просто. Наш опыт проведения реинкарнационных медитаций показывает, что чем больше у человека проблем, тем меньше вероятность того, что ему выдадут информацию

о прошлой жизни. Скорее всего так происходило потому, что не выполнялось первое указанное выше
условие — человек находился в претензии к миру.
Именно поэтому мы указываем, что начинать работу
с врожденными заболеваниями нужно с того, чтобы
научиться радоваться той странной жизни, которую
вы имеете.

Работаем с эфирным планом. Если информация
из прошлого перекодирована, то можно *переходить
к работе с эфирным телом.* Ведь что означает врожденное заболевание с точки зрения эфирного плана,
который мы уже рассматривали? Оно означает, что
искажения внесены в ту энергетическую матрицу,
по которой затем строится тело грешника. А без исправления этой матрицы вряд ли удастся сделать
что-то с физическим телом.

Здесь годятся *методы внешнего или самостоятельного программирования.* Итогом такой работы
должна стать спокойная уверенность в том, что вы
абсолютно здоровы. Здесь годится все — и повторе-
ние различных аффирмаций, и работа с мыслеформами, в ходе которой вы будете представлять себя
совершенно здоровым человеком, и работа с внутренними энергопотоками, и все остальное.

Понятно, что очень трудно будет поверить в идею,
что вы абсолютно здоровы, имея сильные отклонения от нормы. *Трудно, но можно,* нужно только приложить очень много усилий. Много больше, чем не-
давно заболевшему человеку, но все же возможно.
Нам известны случаи, когда после нескольких месяцев работы у людей появлялось отсутствовавшее всегда зрение и происходили другие чудеса. Каждый из
вас наверняка слышал или читал о чем-то подобном.

С точки зрения рассматриваемого подхода в этом
нет ничего сверхъестественного. Больной человек
долго программирует себя, что он здоров. *Если он при-*

*кладывает к этому достаточное количество уси-
лий, то организм принимает эту команду к исполнению.* Сначала восстанавливается энергетическая
матрица, а затем к ней подтягиваются ткани организма. Практически каждый человек способен совершить чудо, но обычно не хватает веры в себя, воли, настойчивости.

Помочь здесь могут внешние факторы, например,
авторитет целителя, подтвержденный результатами
его деятельности. Чем больше вы ему доверяете, тем
выше вероятность того, что вы сумеете запустить свою
внутреннюю программу на выздоровление. Впрочем,
мы об этом уже рассказывали.

Работаем с физическим телом. Естественно, нужно полноценно работать со своим физическим телом,
а не ждать, что врачи что-то с ним сделают и вы станете здоровым. Конечно, врачи или целители должны делать свое дело, но и вы обязаны активно помогать им, делая специальную гимнастику и другие
специальные упражнения с больными органами.
Опыт Дикуля, сумевшего излечить себя от перелома
позвоночника, показывает, что возможности человека поистине безграничны. Но требуется воля и дли-
тельная работа над собой.

Таков путь к здоровью для человека, имеющего
врожденные заболевания. Путь тяжелый, сложный,
медленный, требующий нескольких лет напряжен-
ной работы со своим телом. Но как раз ему жизнь
обычно предоставляет много свободного времени,
поскольку большинство видов традиционной деятельности для него закрыты. Время есть, остается
только приложить силы и умение, и результат будет.
Такой, какие мысли будут у вас в голове в ходе этой
работы.

Если заболевание не врожденное. Если ваше заболевание (или фобия) имеет корни в прошлых жиз-

нях, но проявилось не с момента рождения, а позже, то алгоритм избавления от него остается тем же. Сначала нужно научиться не нервничать в борьбе за свое здоровье. Конечно, получать удовольствие от болезни могут только мазохисты, но перестать переживать может почти любой человек.

Затем нужно почистить себя от накопленных ранее переживаний и *попробовать считать информацию о том, каким образом вы создали себе эту фобию или заболевание.* Получив, ее нужно мысленно изменить так, чтобы то событие, которое привело к фобии или болезни, не произошло.

После перекодирования нужно работать со своим энергетическим телом. Нужно восстановить свою энергетическую матрицу такой, какой она была до возникновения болезни. И естественно, лечиться на физическом плане всеми доступными вам способами.

Этот алгоритм проверен многими людьми, получившими серьезное облегчение или полное избавление от фобии или заболевания, корни которого лежали в кармическом теле.

На этом мы заканчиваем рассуждения на эту сложную тему и переходим к итогам.

Итоги

1. Стремясь к полному здоровью, нужно работать и над той информацией, которую наша душа принесла из прошлых жизней и которая может оказывать негативное влияние на здоровье.

2. Первым этапом на пути к выздоровлению должен стать полный отказ от всех негативных переживаний и чистка от накопленного ранее эмоционального негатива.

3. Затем нужно попытаться как-то считать информацию о том событии (или цепи событий), которое явилось причиной вашего заболевания. Получив

эту информацию, ее нужно мысленно перекодировать к лучшему.

4. Следующий шаг — восстановление эфирной матрицы здорового человека. Это делается методами самопрограммирования, визуализации, внушения.

5. Одновременно нужно работать с физическим телом, стараясь вернуть ему здоровое состояние.

6. Эта последовательность действий годится и в случае врожденных заболеваний, и в случае, когда заболевание возникло в более зрелом возрасте.

Глава 8

Будем здоровы!

Теперь, когда вы почти все знаете про способы оздоровления, у вас остался только один выход — стать здоровым человеком. Какой путь вы для этого выберете — решать вам. Вы можете обращаться за помощью к официальной медицине или к авторитетному для вас целителю, можете пить БАДы или пользоваться любыми приборами, читать медитации прощения или повторять аффирмации. Вы можете использовать все что угодно. Вы *не можете делать только одно — ограничиваться одним способом или методом излечения.*

Если вы будете искать тот самый единственный чудотворный способ, вас ждут огорчения. Если вы даже его найдете и он вам быстро поможет, то это скорее всего ненадолго. Потому что любой метод или прибор работает с одним-двумя нашими телами, а у нас их не менее пяти, и каждое может явиться источником заболевания. Поэтому мы категорически *рекомендуем вам идти широким фронтом*, то есть наряду с лечением конкретной болячки чистить все остальные ваши тела.

Но для начала давайте посмотрим, не использовал ли кто-то подобный комплексный подход к оздоровлению ранее.

Кто уже стоит на этом пути

Как обычно, трудно найти что-то принципиально новое в нашем мире. Почти все когда-то и кем-то было либо предложено, либо использовано в том или ином виде. Поэтому можно найти немало систем, использующих сходный с предложенным в книге подход к оздоровлению. Рассмотрим коротко некоторые из них.

Йога — мудрость древних. Самой известной системой, использующей работу с физическим телом и всеми тонкими телами, является йога, история которой насчитывает пять тысяч лет. Отцом йоги считается индийский мудрец Патанджали, который определил, что йога — это путь к совершенству и духовной свободе человека посредством достижения полного контроля над телом и психикой [13].

Йога включает восемь ступеней совершенствования, которые нужно проходить последовательно. Мы попробуем как-то классифицировать их исходя из принятой в этой книге терминологии.

Работа с физическим телом. Самая известная и распространенная часть йоги — это *система работы с физическим телом, которая называется «асаны»*, то есть специальные позы. В йоге не используются быстрые подвижные упражнения (бег, прыжки), а только медленно выполняемые упражнения, в ходе которых вы должны на 5–10 секунд принимать специальные и порой очень сложные позы, требующие огромной подвижности мышц и суставов. Все это делается спокойно, сердце не должно увеличивать частоту своего биения в ходе выполнения упражнений.

Работа с эфирным телом. В йоге имеется специальная *ступень работы с энергетическим телом, которая называется «пранаяма»*. Она включает в себя комплекс специальных дыхательных техник и работу с мыслеобразами. Йоги используют собственную модель протекания энергопотоков в теле человека. Энергия внешнего мира, так называемая *прана*, поступает в тело человека с дыханием и через специальные энергетические центры — чакры. Именно умение получать необходимую жизненную энергию через чакры позволяет йогу на время останавливать дыхание и даже существовать без воздуха, например, находясь полчаса под водой.

Работа с эмоциональным телом. Работа с эмоциональным планом заключается в развитии способности управлять своими эмоциями с помощью силы воли. Для этого существуют несколько *начальных ступеней йоги — «яма»* (общие нравственные требования) и *«нияма»* (дисциплина).

Яма включает в себя этические принципы, которых должен придерживаться человек, вставший на путь йоги. Йог должен руководствоваться в своей жизни принципами ненасилия (ахимса), правдивости (сатья), неворовства (астея), целомудрия (брахмачарья) и нестяжательства (апариграха). *Нияма* включает в себя принципы индивидуального поведения. Сюда входит внутренняя и внешняя чистота тела (шауча), постоянная удовлетворенность жизнью (сантоша), самообразование (свадхья) и преданность Богу (ишвара пранидхана).

Как видим, набор принципов достаточно широк и охватывает почти все сферы жизни человека.

Работа с ментальным телом. *Для успокоения ума в йоге имеются ступени под названием «Пратьяхара» и «Дхарана».*

На этапе *Пратьяхары* ум человека должен освободиться от мирских желаний и вытекающих из них негативных эмоций. Человек, которого не тревожат никакие желания, всегда будет оставаться спокойным и уравновешенным.

Следующий уровень — это *Дхарана*, то есть концентрация ума. На этом этапе человек должен уметь полностью останавливать бег своих мыслей и сосредоточиваться на объекте концентрации на длительное время. Понятно, что человек, серьезно практикующий все эти ступени, мало привязан к тем проблемам, которые волнуют большинство людей.

Работа с высшими телами. На завершающей стадии йоги человек, который усвоил все предыдущие ступени, переходит к работе со своими высшими телами. Эта работа направлена уже на слияние с Богом. Эти ступени называются *«Дхьяна»* и *«Самадхи».* Состояние *Самадхи* означает состояние переживания Истины и полного слияния с Богом.

Плюсы и минусы йоги. Таким образом, мы видим, *что в традиционной йоге имеются методы работы со всеми телами человека.* В принципе их можно смело использовать для работы над собой для достижения здоровья. Многие упражнения йоги имеют оздоровительное назначение, и если практиковать их несколько лет подряд, то можно стать совершенно здоровым человеком, какие бы болезни ни одолевали вас в начале занятий. Все упражнения тщательно проработаны, имеется множество книг по йоге, хотя занятия желательно вести под наблюдением опытного наставника. Это явные плюсы йоги.

К условным минусам можно отнести то, что йога не является системой, которая может улучшить вашу *текущую жизнь* со всеми ее хлопотами и заботами. Это *отдельная система жизни,* строго регламентированная и требующая большого количества времени для выполнения всех практик. Разработанная много тысяч лет назад, она мало сочетается с современным стремительным ритмом жизни, ее довольно сложно полноценно сочетать с повседневной работой, семейной жизнью и т. д. Использовать какие-то элементы йоги (асаны, пранаямы) в свободное время, конечно, можно. Но тогда вряд ли можно говорить об использовании техник работы с высшими телами, так как в йоге ступени проходятся последовательно.

Кроме того, на ступени Пратьяхары нужно отказаться от всех земных желаний как источника негативных эмоций. Вряд ли такое требование устроит большинство людей, живущих обычной жизнью и не намеревающихся в ближайшее время соединяться с Богом. Может быть, такая цель и прельстила бы многих, но отказ от всех земных желаний вряд ли возможен для большинства людей.

Завершая рассмотрение йоги, можно констатировать, что это замечательная система физического и духовного развития человека. Но система не массовая, поскольку имеет свои конкретные цели и сопутствующие им инструменты.

Система «Детка» Порфирия Иванова. В самом конце XIX века в шахтерской семье на Украине родился мальчик, которого родители назвали Порфирий. До 36 лет он жил обычной жизнью, но его постоянно посещала мысль о том, как бы помочь людям жить лучше, научить их не болеть и не умирать так рано.

В 1934 году ему несколько раз приснился сон, из которого он понял, что человек может *не бороться с негативными влияниями Природы, а научиться применять их с пользой для себя*. Он начал ставить на себе первые эксперименты по закаливанию — ходить без шапки, ходить босиком круглый год, затем стал ходить круглый год без верхней одежды, обливаться холодной водой. Вскоре у него развились феноменальные способности — он мог обходиться без воды и пищи по две недели, мог 2—3 часа находиться под водой в зимнее время. Для испытания себя он в одних трусах уходил в степь в метель на несколько часов, пробегал сотни километров по бездорожью, зимой без одежды проехал несколько часов на тендере паровоза. Во время оккупации немцы закапывали его раздетым в снег или часами возили на мотоцикле — у него не появился даже насморк.

Кроме здоровья, у него развились очень сильные экстрасенсорные и биоэнергетические способности, которые помогали ему исцелять самые сложные заболевания, включая многолетний паралич ног, псориаз, язвы, туберкулез, рак желудка и многое другое.

Жил он не в самое лучшее для проявления таких неординарных способностей время. Его много раз арестовывали, 12 лет суммарно он провел в психиатрических больницах, но это не сломило его. Он пытался донести свои идеи до людей через прессу, но это было почти невозможно в те годы жесткого административного правления. У него были сотни последователей, которым он передавал свои знания. Умер он в возрасте 85 лет в 1982 году.

Свое учение П. Иванов назвал «Детка». Основные идеи из 12 пунктов изложены в его письме, которое он рассылал многим людям. Кроме того, он вел записи-размышления в тетрадях, часть которых опубликована только в последние годы.

В чем же суть учения П. Иванова? Он считал, что человек напрасно оторвался от Природы, только в общении с ней можно стать совершенно здоровым человеком. «Природа есть все. У нее есть воздух, вода, земля — три самых главных тела, которые в одно прекрасное время все нам дали».

Учение П. Иванова просто и материалистично по форме, но учитывает наличие в окружающем мире неких сил, которые помогают человеку жить в общении с Природой. Рассмотрим основные идеи его учения в соответствии с классификацией, принятой в этой книге.

Работа с физическим телом. П. Иванов основное внимание уделил работе по закаливанию именно физического тела. «Закаляться не хотим, находимся в постоянно теплом, "разжиженном" состоянии. В результате по нашему организму растекаются болезни, здоровье идет на убыль, сердце слабеет, сознание угасает, наступает безволие. И никакие таблетки здесь не помогут, так как организм человека напоминает стоячее болото» [33].

В его систему входят ежедневные прогулки или стояние *босиком на земле или на снегу*, обливание ног, а затем и всего тела холодной водой, баня, *купание в природных водоемах два раза в день в любое время года, сухое голодание* (без воды) с *пятницы вечером до 12 часов в воскресенье*.

В его системе нет специальных упражнений по разминке тела, но тем не менее люди, придерживающиеся ее, показывали очень хорошие результаты в спортивных соревнованиях. Он не давал специальных рекомендаций по питанию, за исключением совета не переедать, избегать излишеств в еде. Одно время он с группой последователей голодал по четыре дня в неделю, то есть 200 дней в году. И при этом все жили и работали, как обычно.

Одним из важных условий было требование сразу же бросить пить и курить. Он активно помогал сделать это тем, у кого не получалось самостоятельно.

Работа с энергетическим телом. Очень большая часть системы направлена на укрепление как раз энергетического тела. Ежедневные обливания холодной водой из ведра на улице в любую погоду — это *мощная энергетическая встряска организма*, в ходе которой из него вылетает вся чужеродная энергетика (сглазы, порчи), и восстанавливается природная защитная система человека.

Большое внимание П. Иванов уделял дыханию. Он рекомендовал каждый день, утром и вечером, делать *по три глубоких вдоха свежего воздуха*. Причем воздух нужно было мысленно *втягивать через гортань из верхних слоев атмосферы*. П. Иванов знал, что в воздухе содержится энергия, которая дает нам жизнь: «В воздухе, окружающем человека, находится пища — это эфир, движущийся с воздухом и проникающий насквозь в организм человека» [33]. Он сам умел использовать эту энергию и учил этому других.

Работа с эмоциональным и ментальными телами. П. Иванов прекрасно понимал, что если человек переполнен негативными мыслями и эмоциями, то вряд ли он может претендовать на хорошее здоровье. В своих записях и беседах он излагал те нравственные и моральные нормы, которыми должен руководствоваться человек. Он учил: «Победи в себе жадность, лень, самодовольство, стяжательство, страх, лицемерие, гордость. Верь людям и люби их. Не говори о них несправедливо и не принимай близко к сердцу недобрых мнений о них».

Как видим, в этих строках заключены прекрасные мысли, и если бы все люди следовали им, то наш мир был бы несколько иным. Сам П. Иванов предстает в них как огромный энтузиаст и неисправимый романтик, верящий в то, что люди могут исправиться и жить в единении с Природой.

Плюсы и минусы системы П. Иванова. К условным плюсам системы П. Иванова можно отнести то, что она очень проста и содержит понятные всем рекомендации. Она далека от философских наворотов восточных оздоровительных систем, да это и понятно. Сам П. Иванов имел только начальное образование, хотя и занимался самообразованием. Он жил в сугубо материалистической стране в очень сложное время, общался преимущественно с рабочими и служащими, и его методика ориентирована именно на этот слой населения.

К условным минусам системы оздоровления П. Иванова можно отнести ее ориентацию на сельский образ жизни. Жителю современного города, даже желающему ежедневно ходить босиком по земле и обливаться холодной водой, совсем нелегко будет это сделать. В городе трудно найти место, где можно было бы безопасно ходить босиком. А на представление с обливанием себя водой на улице скорее всего будут собираться все окрестные жители. Да и режим работы с утра до вечера оставляет мало возможностей для проведения этой процедуры. Сама система ориентирована на сильных духом людей. Далеко не каждый человек решится выполнить все требования системы в комплексе. Но тот, кто найдет в себе силы это делать, получит замечательный результат.

Приказываем себе быть здоровым. В последние годы получила широкое распространение оздоровительная система, разработанная Мирзакаримом Санакуловичем Норбековым [26—28].

М. Норбеков разработал *комплексную систему самооздоровления человека*, включающую множество упражнений, связанных одной идеей — *запустить внутреннюю программу организма на избавление от болезни.*

На занятия собирается большая группа людей, и тренер дает всем пришедшим людям инструкции, что им нужно делать. Каждый участник выполняет задания самостоятельно. Занятия разбиты на четыре цикла возрастающей сложности, каждый длительностью по 10 дней.

К концу первого цикла занятий зрение может улучшиться на несколько диоптрий, улучшится общее самочувствие, пропадут боли и шрамы на коже, отступят многие заболевания. И все это при том, что никаких лекарств, специальных диет или приборов в ходе занятий не используется. Как же все это получается? Рассмотрим систему упражнений М. Норбекова по нашей классификации.

Работа с физическим телом. Для оздоровления физического тела все участники в течение 30—40 минут на каждом занятии выполняют специальную *суставную гимнастику*, предназначенную для растяжки всех мышц и суставов организма. Упражнения подобраны так, что их без особых усилий могут выполнять люди любого возраста и физической подготовки.

Работа с энергетическим телом. Работе с энергетическим телом в методике М. Норбекова уделяется основное внимание. Для этого используются упражнения двух типов.

Первый — это *дыхательные практики*, связанные с задержками вдоха или выдоха. Эти упражнения направлены на энергетическую подзарядку организма путем более интенсивного усвоения энергии из окружающей среды.

Второй вид упражнений — *работа с мыслеобразами*. Этому виду упражнений в методике придается очень большое значение. Разработаны десятки упражнений, в ходе которых вы должны представлять себе, как энергии перетекают в вашем теле по внутренним органам или между ними [26, 28].

Непосредственная работа с любыми больными органами происходит путем создания в них *ощущений тепла, покалывания и холода* с помощью своего воображения. Внутренние энергопотоки силой воображения перемещаются по специальным траекториям — по кругу, по спирали, по лепесткам, последовательно по отдельным точкам тела и т. д. Особенностью методики является то, что в этой системе после создания ощущения тепла необходимо обязательно закрепить полученный положительный результат ощущениями холода.

Очень большое значение в процессе самопрограммирования имеет *специальное выскоэнергетическое*, возбужденное, буквально экстатическое *состояние, которое называется «Октава»*.

Чтобы вызвать у участников это состояние, применяют «настройку» — с помощью специально подобранной музыки и инструкций тренера. Инструкции ведущего буквально имеют следующий вид: «Наполните себя бодростью! Добавьте себе восторга! Еще восторга! Еще радости! Добавьте еще блаженства!» и так далее.

И из этого высокоэнергетического состояния вы даете команды своим органам стать молодыми, здоровыми, красивыми, чистыми и т. д. Понятно, что каждая такая команда, подкрепленная порцией позитивных энергий и веры в положительный результат, является мощной командой организму, который сразу же принимает ее к исполнению.

Работа с эмоциональным телом. В системе предусмотрено несколько видов деятельности по чистке негатива.

Прежде всего вы *должны научиться поддерживать у себя хорошее настроение — для этого вам предложат все время улыбаться.* Когда человек улыбается, пусть через силу, его организм начинает подстраиваться под команду хозяина и через некоторое время настроение у вас действительно улучшается. Но просто улыбаться и находиться в благостном состоянии для выздоровления недостаточно.

Для успокоения нервной системы используются специальные медитации — полет в небе, путешествие по лесной поляне и т. п. Для отказа от переживаний, вызванных житейскими проблемами, используется специальная *медитация прощения.*

Работа с ментальным телом. Работа с ментальным телом заключается в некоторых рекомендациях по принятию мира, которые дают тренеры, ведущие занятия. На последующих циклах занятий тренеры уделяют немалое внимание рекомендациям по формированию событий своей жизни, решению проблем с деньгами, развитию интуиции и подобным вопросам.

Плюсы и минусы системы. К несомненным плюсам системы самооздоровления М. Норбекова можно отнести то, что он нашел и применил механизм принудительного самопрограммирования организма на здоровье, независимо от вида заболевания.

В методике используется комплексный подход, когда в течение срока занятий человек работает практически со всеми своими телами, даже не осознавая этого.

Методика полностью адаптирована к современному ритму жизни. Ради здоровья любой человек может найти возможность выделить десять-двадцать, а то и больше дней для работы над собой.

Методика тщательно проработана, применяемые упражнения не требуют больших усилий для выполнения. Она доступна для всех слоев населения. Особо эффективна она для людей высокоэмоциональных, имеющих хорошее воображение, свободное время, большое желание и волю, чтобы работать над собой.

К условным минусам системы можно отнести то, что занятия ведутся по схеме эстрадного представления. Это оправдано с экономической точки зрения, но при этом отсутствует обратная связь между ведущими и каждым участником. Степень усвоения или правильного выполнения упражнений не отслеживается, каждый работает как может.

Отсюда же вытекает невозможность глубокой работы с ментальным планом, поскольку такая работа требует обязательной обратной связи.

В основе самопрограммирования лежит высокоэкстатическое состояние «Октавы», которое трудно вызвать у себя людям рациональным, сдержанным (контролерам), подавленным, скептичным и малоэмоциональным от природы. Для них методика работает на уровне обычной гимнастики. По нашим наблюдениям, эффект значительно выше у женщин, как у более эмоциональных от природы существ. Мужчины, как существа более сдержанные, получают несколько худшие результаты.

Естественно, все это не снижает достоинств предложенной системы самооздоровления. Это подробно проработанная методика, ориентированная на массового пользователя, в которой используется комплексный подход к оздоровлению, проводится работа сразу с четырьмя телами человека. Как и все остальные, она хорошо работает на определенную категорию людей. Но значительно более широкую, чем рассмотренные ранее йога и система П. Иванова.

Думайте сами. На этом мы заканчиваем обзор существующих систем оздоровления. Понятно, что мы перечислили далеко не все — есть еще методики В. В. Караваева, Я. И. Колтунова, А. В. Бояршинова и многие другие. Но наша задача не состоит в обзоре всех методик — это тема других книг. Мы *дали общий подход к оценке очередной предлагаемой системы оздоровления.* Когда вам говорят, что она излечивает всех и от всего, сомневайтесь. Как максимум она *может дать эффект только определенной группе людей,* которым она близка по духу, требуемым физическим и интеллектуальным усилиям и т. д. Вы сами уже сможете оценить, насколько комплексна эта система, поскольку легко определите, с какими телами она будет работать. Если она ориентирована на одно-два тела, то ее возможности еще более ограничены. Это ни хорошо, ни плохо. Вы можете выбрать и ее, если она вам чем-то нравится. Но уже сами добавьте к ней упражнения для работы с теми телами, которые она не захватывает. И тогда все будет замечательно.

А для тех, кому нравится изложенный нами подход к жизни, мы предлагаем еще одну высокоэффективную систему самооздоровления, учитывающую все те требования, о которых шла речь в этой книге.

Тренинг здоровья «Будь здоров!»

Центр «Разумный путь» в Москве и в своих отделениях в других городах предлагает *новый тренинг здоровья «Будь здоров!»*. Тренинг направлен на оздоровление всех тел человека, поэтому он включает в себя следующие виды занятий.

1. Гимнастики для физического тела, включающие набор оригинальных упражнений для всех частей тела.

2. Энергетические гимнастики, направленные на зарядку организма дополнительными порциями энергии и работу с конкретными органами с помощью мыслеформ.

3. Техники чистки эмоционального тела, включая особые медитации и дыхательные практики.

4. Практика работы с ошибочными ментальными убеждениями, установками, внутренними программами. Упражнения на самопрограммирование, включая индивидуальный подбор аффирмаций и многое другое. Естественно, что работа с ментальным и эмоциональным телом будет опираться на идеи Разумного пути.

5. Реинкарнационные медитации для выявления и избавления от возможных влияний прошлых жизней и многое другое.

Во время занятий вы будете пить свежеприготовленную «святую воду» или приготовленный на ней фиточай, вдыхать специально подобранные запахи, ощущать специальные воздействия цвета, музыки, символов. Каждый из участников будет иметь личный символ для работы с больным органом, но об этом чуть позже.

Вы получите личный рабочий Дневник, который нужно будет вести в ходе занятий и фиксировать в нем результаты работы над собой.

Вы будете получать и выполнять *домашние задания*, в которых нужно будет немного поработать с головой (точнее, с теми заблуждениями, что в ней водятся) и выполнять некоторые оздоровительные процедуры.

Занятия не будут иметь форму эстрадного представления — это будут небольшие группы (20—30 человек), в которых *каждый участник получит свою порцию индивидуального внимания тренера*. Но это и не специальные занятия типа йоги или аэробики, для которых нужна специальная форма и состояние здоровья. Тренинг рассчитан на обычного человека, который может прийти на него прямо с работы и получить свою порцию здоровья.

Все занятия разбиты на *три цикла. Первый цикл называется «Оздоровление», второй — «Омоложение», третий — «Развитие скрытых способностей».* В каждом цикле будут вводиться новые элементы, направленные на раскрытие его главной темы. Но тема оздоровления останется ведущей на втором и третьем этапе.

Длительность одного цикла занятий — два месяца, то есть 16 занятий по три часа.

Обращаем внимание, что это именно оздоровление, а не сеансы исцеления, где вам нужно только сидеть и ждать, когда вас исцелят. Нет, мы предлагаем вам тренинг, в ходе которого вы сами будете работать над собой, а мы будем помогать и подсказывать, как это можно делать лучше всего.

Запись на тренинг по телефонам Центра «Разумный путь» в Москве: (095) 350-30-90, 148-71-98, www.sviyash.ru. Информацию о наших представительствах в регионах смотрите на сайте и в журнале «Разумный мир».

Так что ждем вас на пути к здоровью, давайте пойдем туда вместе!

Хочется попроще и побыстрее. На пути к здоровью мы предлагаем вам воспользоваться одной оригинальной техникой, *использующей для достижения здоровья идеи Методики формирования событий (МФС)*. Она появилась в результате опробования множества существующих техник оздоровления.

Как показал личный опыт, многие из них плохо вписываются в современный интенсивный ритм жизни в высокотехнологичном обществе. Особенно это относится к древним восточным системам самооздоровления — йоге, дзену, восточным гимнастикам. Они требуют больших затрат времени, специфического (медитативного) отношения к жизни, опираются на теории, практически не пересекающиеся с современным уровнем научных знаний, и мало соотносятся с современным ритмом жизни. Больше подстроены под современный ритм жизни методики, разработанные в последние 50–100 лет (рейки, шиацу, Су-Джок и т. д.). Но и они требуют *специального времени* для работы над больным органом. А нельзя ли сделать так, чтобы работа с больным органом происходила либо постоянно, либо в любое свободное от других дел время? Именно этому условию отвечает предлагаемая уникальная и высокоэффективная методика Исцеляющих символов.

Метод Исцеляющих символов — формирование своего здоровья

Метод Исцеляющих символов является инструментом для самостоятельной работы человека по оздоровлению своего тела. Его основные идеи являются практическим применением Методики формирования событий к важной сфере нашей жизни, которую мы раньше почти не затрагивали, — своему здоровью.

Предпосылки создания метода. Еще несколько лет назад у меня возникла идея написать книгу, в которой можно было бы систематизировать имеющиеся подходы к избавлению от заболеваний, выделить в них общее и выработать некоторые рекомендации по их применению в тех или иных ситуациях. То есть подойти с позиций Разумного пути к очень запутанной и сложной теме здоровья. Берясь за эту непростую тему, я был далек от идеи создания какого-то нового целительского метода.

Личный опыт. В ходе работы над книгой мне приходилось подробно изучать или испытывать на себе самые разные средства и способы оздоровления. (Хорошо, что у меня изначально было вполне приличное здоровье, поэтому организм благополучно перенес эти испытания и даже ушли некоторые болячки.)

Нужно отметить, что ничто из проверенного не устроило меня полностью, поскольку требовалась либо слепая вера в эффективность метода, либо слишком большие затраты времени, либо изменение привычного ритма жизни или системы питания, либо наличие каких-то специальных качеств — хорошего воображения, сильной эмоциональности и т. д. Наверное, поэтому возникло скрытое желание создать метод, не имеющий этих недостатков.

Все от головы. Вторым движущим моментом стало явное осознание того, что успешность использования любого метода и средства зависит от того, насколько вы поверили в его эффективность. Если поверили и тем самым *сумели дать своему организму команду на оздоровление*, то все замечательно, какой бы метод вы ни использовали. Если вы сомневаетесь в эффективности, то ваш организм уловит это сомнение и выполнит уже новую программу: мне этот метод не поможет. И какой бы прибор, упражнения или препараты вы ни использовали, эффективность будет совсем малой — ваш организм будет сопротивляться любому исцеляющему воздействию. Он будет стараться выполнить вашу установку: мне это не поможет.

Тем самым еще раз подтвердилась идея о том, что *успех любого дела определяет наше сознание* (или скорее подсознание), сами конкретные действия играют вторичную роль по отношению к этому главному фактору.

Момент озарения. И наконец, третьим фактором стал момент озарения, когда мне стало ясно, какая именно технология излечения может отвечать всем моим внутренним ожиданиям.

Это понимание возникло в ходе ночной медитации на отдыхе в горах, где я был далек от размышлений на тему целительства. Именно там ко мне впервые пришла идея *метода исцеляющих символов*. Поначалу она показалась неожиданной, но чем больше я затем размышлял над ней, тем больше достоинств в ней находил. Оказывается, этот метод полностью отвечает всем идеям Методики формирования событий [3, 4, 5]. Просто раньше мы использовали МФС для формирования событий во внешнем мире — для устройства личной жизни, поиска работы, денег, достижения целей. Сейчас мы применили МФС для изменения одного только объекта — самого себя.

Основные идеи метода. В основе метода исцеляющих символов лежат несколько идей, которые по отдельности встречались в рассмотренных ранее известных оздоровительных методиках. Здесь они впервые соединились вместе, за счет чего возник *эффект* *резонанса,* то есть многократного усиления каждого из влияющих факторов.

Больному органу не хватает энергии. Заболевание определенного органа возникает тогда, когда иссякают возможности организма справиться с вредными воздействиями. Собственно, любой симптом болезни (воспаление, сыпь, температура и пр.) есть проявление того, что организм борется за выздоровление. Но иногда организму не хватает собственных сил или энергии в месте заболевания, и тогда заболевание прогрессирует (иммунная система не справляется со своими функциями).

Чтобы привлечь в больной орган дополнительную энергию (эфирного плана) из других частей тела, в нем возникает боль. Боль привлекает внимание человека, а *точка сосредоточения нашего внимания есть место концентрации дополнительных порций энергии.* С помощью обезболивающих лекарств мы нарушаем этот естественный механизм привлечения дополнительных порций энергии.

Следовательно, для самоисцеления нужно направить к больному органу как можно больше дополнительных жизненных сил.

Внутренней энергии хватает для исцеления. Опыт оздоравливающих систем, основанных на инициации только защитных сил организма без привлечения сторонних источников, показывает, что этой *внутренней энергии практически всегда хватает для исцеления.* Нужно только правильно перенаправить ее на борьбу с болезнью.

Количество энергии пропорционально нашим усилиям. Идея проста и понятна: чем больше времени мы будем концентрировать свое внимание на больном органе, тем больше внутренних сил мы туда направим. Значит, нужно *заставить больного как можно дольше концентрироваться на своем больном органе.*

Конечно, это должны быть целенаправленные и положительные размышления, не вызванные болью. И это не должны быть специальные процедуры или ритуалы, требующие отдельного времени и выполнять которые люди начинают только в безвыходной ситуации.

Организм реализует наши убеждения. Мы уже отмечали, что *наш организм готов реализовать любые наши установки. Ему все равно, что именно должно привести к выздоровлению, он готов исполнить любую нашу команду, лишь бы мы ее дали достаточно уверенно и с положительным настроем.*

Значит, нужно дать организму убедительную программу на выздоровление.

Годятся любые проекции. Для исцеления больного органа можно направлять энергию непосредственно в него. Но существует и другой путь — когда происходит воздействие на какую-то область тела, которая *является проекцией больного органа* (известные точки акупунктуры, зоны Су-Джок, зоны Захарьина-Геда, точки на ушах и пр.). Воздействуя на точку или область проекции, мы тем самым осуществляем исцеляющее воздействие на сам больной орган.

Иногда проекция больного органа вообще находится вне тела. Например, некоторые целители умеют работать с больным по фотографии — они лишь представляют себе больной орган неизвестного им человека и дистанционно воздействуют на него. В других случаях они мысленно строят астрального двойника (фантом) больного человека и воздействуют на него. И получают положительный эффект, что доказано исследованиями вполне серьезных ученых, далеких от мистики и слепой веры в сверхспособности целителей [31].

Из всего этого можно сделать следующий вывод: *организму все равно, куда мы спроецируем больной орган,* лишь бы мы дали ему мысленную установку, что именно эта область, предмет или мысленный образ является проекцией действительно больного органа.

Значит, в качестве проекции больного органа можно выбрать такой объект, который бы сделал самостоятельную работу по исцелению наиболее удобной и комфортной.

Собственно, это все. Если соединить все эти идеи вместе, то получится сама методика Исцеляющих символов.

Техника самостоятельной работы по методу. Техника работы максимально проста.

1. Если у вас болен какой-то орган (колено, горло, глаза, кишечник, печень и т. д.), то вам нужно найти предмет, *наилучшим образом символизирующий для вас этот орган.* Естественно, к этому символу имеются определенные требования, о которых мы расскажем позже.

2. Затем нужно *дать себе внутреннюю установку:* «Как только я вижу (или беру в руки) символ моего больного органа, то поток моей внутренней энергии направляется к этому органу и исцеляет его. Мой орган абсолютно здоров! У меня достаточно сил и энергии, чтобы исцелить этот орган и все остальные, которые связаны с ним! Я знаю, что мой орган таков, каким он был десять (двадцать, тридцать и т. д.) лет назад. Мой орган совершенно здоров!»

Одновременно вы *мысленно сосредоточиваетесь на своем больном органе* и представляете себе, как к нему со всех сторон направляются энергетические потоки и восстанавливают его. Вы представляете себе, что он совершенно здоров.

3. При этом вы *ласково поглаживаете или мягко массируете символ,* представляя себе, что при этом вы *положительно воздействуете на больной орган.*

Вы можете говорить ему ласковые слова, просить у него прощения за пренебрежительное отношение, обещать заботиться о нем в будущем и так далее. Попробуйте почувствовать ответную реакцию своего больного органа, направьте ему свою любовь и тепло.

Естественно, все это нужно делать про себя, иначе окружающие вызовут вам настоящего врача, скорее всего психиатра.

4. Затем вы *организуете свою жизнь так, чтобы этот символ как можно чаще попадался вам на глаза или под руку,* особенно в свободное время. Для этого вы можете носить его прямо на руке, в кармане или в кошельке, прицепить к связке с ключами и так далее. И как только он попадется вам на глаза, вы повторяете все действия по п. 2 и п. 3.

Вы можете выполнять эту операцию в любое время — пока едете в транспорте на работу (не за рулем), стоите в очереди или на остановке, ждете кого-то, отдыхаете, читаете книгу, смотрите телевизор и так далее. Вы можете просто поглаживать или крутить в руках символ — после некоторой практики организм будет расценивать эти действия как команду к посылке очередной порции исцеляющей энергии к больному органу.

Обращаем ваше внимание на то, что методика работает не с заболеваниями, а с *больными органами.* Медицинский диагноз вашего заболевания не имеет никакого значения. Диагноз говорит всего лишь о том, к какой группе искажений органа относится ваше заболевание. Но поскольку в ходе работы по методу вы *восстанавливаете орган по той энергетической матрице,* какую он имел десять или двадцать лет назад, то вид нынешнего искажения не имеет значения. Вы даете организму команду сделать орган таким, каким он был в здоровом состоянии некоторое время назад, и организму этого вполне достаточно.

5. Это, собственно, все. Можно еще вести дневник учета положительных изменений, происходящих с больным органом, но опыт показывает, что мало кто будет это делать самостоятельно. Если вы готовы, то ведите такой дневник.

6. Естественно, что при этом *не отменяются никакие иные методы лечения*, которые вы используете. Вы выполняете все предписания врача или выбранную самостоятельно иную методику исцеления — метод исцеляющих символов *органично дополнит и усилит любую другую систему исцеления*. Возможно, он сам по себе будет более эффективен, чем они, но не нужно ограничиваться только им.

Требования к символам. Прочитав приведенную выше последовательность действий, вы уже поняли, что в этом методе очень многое зависит от *правильного выбора объекта проекции* больного органа, то есть символа. К этому символу предъявляется ряд довольно жестких требований.

1. Символ больного органа *должен быть небольшим*, чтобы его можно было везде носить с собой.

2. Символ *должен быть простым*, чтобы не привлекать внимания окружающих.

3. Символ *должен иметь такую форму, которая однозначно будет вызывать у вас ассоциацию с больным органом*. Например, если у вас проблемы с кожей, то в качестве символа может использовать кусочек высококачественно выделанной кожи. В качестве символа кишечника можно использовать несколько продолговатых бусин, нанизанных на нитку, и так далее. Гораздо сложнее обстоит дело с внутренними органами — легкими, печенью, почками и пр., — для них трудно подобрать символ, однозначно идентифицируемый как этот орган.

4. Символ *должен быть долговечным*, чтобы с ним можно было интенсивно работать несколько месяцев и он не менял своей формы, цвета и т. д. (если это не предусмотрено изначально). Поэтому нельзя использовать в качестве символа овощи или фрукты — они недолговечны и имеют малую механическую прочность.

5. Символ *должен быть приятным на ощупь и на вид*, чтобы вы с удовольствием держали его в руках.

6. Символ желательно *постоянно держать при себе*, но в таком месте, где он будет *максимально часто попадаться вам на глаза*.

Фактически символ является той самой «напоминалкой», которую мы рекомендовали применять при достижении своих целей по МФС. Здесь он должен быть выполнен в объеме, чтобы задействовать и тактильную память.

Лучше всего этим требованиям отвечают изделия из камня, тканей или пластика. Вы можете попробовать сделать символ сами, но это не очень просто — не забывайте про указанные выше требования. Лучше воспользоваться готовыми разработками.

Мы предлагаем. В Центре «Разумный путь» разработана целая серия символов для исцеления самых разных органов. У нас имеются символы для следующих органов:

1) *сердце;*

2) *легкие;*

3) *глаза;*

4) *почки;*

5) *печень;*

6) *железа (любая);*

7) *грудь (женская);*

8) *половой орган (мужской);*
9) *матка;*
10) *позвоночник;*
11) *сустав (любой);*
12) *желудок;*
13) *кожа.*

Все символы разработаны дизайнером и представляют собой изделия из керамики, пластика, камня или других материалов.

На все символы наложена информация о здоровом состоянии этих органов (как на гомеопатические таблетки), поэтому они обладают дополнительной исцеляющей силой. Каждый символ несет на себе эмблему нашего Центра и снабжен инструкцией по использованию.

Информацию об условиях приобретения символов смотрите в конце книги.

При желании мы можем *изготовить вам символ по индивидуальному заказу* из камня, соответствующего вашему знаку Зодиака, но это будет стоить несколько дороже.

Требование к формулировке. На втором этапе работы вы должны дать себе мысленную установку (или «заказ» по МФС). К формуле этой установки предъявляются несколько требований.

1. Сначала вы должны дать организму команду о том, что как только вы увидели или взяли в руки символ, как к *вашему больному органу тут же перенаправляются потоки внутренней энергии.* Сначала вы представляете себе эти потоки (как сможете), а потом это будет получаться автоматически.

2. Затем вы должны *дать команду организму о том, что ваш орган — здоров.* Вы не «заказываете» себе процесс выздоровления: «Мои глаза видят все

лучше и лучше» — этот процесс может растянуться на годы. Вы сразу декларируете, что вы хотите иметь: «У меня стопроцентное зрение!»

3. К формуле здоровья применяются все те же требования, что и к формулировке любого заказа в МФС, то есть:

* формула *не должна быть слишком длинной*;
* говорить надо от первого лица (то есть используя местоимения «я», «меня», «мне» и т. д.);
* она *должна быть утвердительной*, то есть не должна содержать отрицаний («У меня не болит печень» — неправильно. Правильно — «Моя печень абсолютно здорова»).

4. Желательно указать, что именно вы понимаете под словами «абсолютно здоров». Если вы были когда-то здоровы, то попробуйте сослаться на возраст, когда вы имели хорошее состояние здоровья. Наша энергетическая матрица сегодня накопила некоторое количество искажений, которые могут быть устранены по вашей команде — а за ней исцелится и сам больной орган.

5. При работе по формуле нужно все время называть конкретный орган (глаза, почки, коленный сустав и т. д.), мысленно обращаясь к нему каждый раз, когда вы повторяете формулу.

6. Кроме того, в формулу можно добавлять ласковые слова-обращения к больному органу, просить у него прощения за доставленные неприятности и т. д.

Как произносить формулу. Понятно, что произносить формулу нужно про себя. Но делать это нужно *на самом сильном эмоциональном подъеме*.

Для этого попробуйте вспомнить состояние, в котором вы находились на пике влюбленности или когда вы преодолевали огромную трудность (взбирались на гору, побеждали в соревнованиях или на конкурсе, получали приз и вызывали восхищение людей). У каждого человека были в жизни такие экстатические моменты. Попробуйте *вызвать в себе это же восторженное состояние* и в нем произносите формулу выздоровления. Тогда процесс выздоровления пойдет значительно быстрее.

Со временем у вас выработается рефлекс — как только вы берете в руки символ, ваш организм переходит в восторженное состояние. Так что вы сможете использовать символ не только для самоисцеления, но и *для вхождения в отличное состояние духа в любой момент времени*, независимо от текущих обстоятельств жизни. А это, согласитесь, очень неплохое дополнительное свойство предлагаемого метода.

Работать нужно последовательно. Поскольку предлагаемый метод использует принцип перераспределения имеющихся у нас жизненных сил, а их у нас ограниченное количество, то работать по методу нужно последовательно. То есть *рекомендуется выбрать один орган и работать с ним до тех пор, пока вы не получите явного результата.*

Если вы выберете сразу два органа, то количество энергии, направленной на каждый из них, уменьшится в два раза. И срок выздоровления вырастет, как понимаете, тоже в два раза, а то и больше — уменьшенной порции может просто не хватить для излечения.

Так что работать желательно только с одним органом. С каким — вы решаете сами. Но если вы приняли решение, то не меняйте его, работайте до победного конца. Суета в данном случае противопоказана.

Но обращаем ваше внимание на то, что в формуле самопрограммирования мы не зря указали, что организм должен «исцелить этот орган и *все остальные, которые связаны с ним».* То есть в формуле изначально заложена идея о том, что *вы даете команду организму самому разобраться, искажения в каких еще органах привели к заболеванию того органа, с которым вы работаете, и заодно исцелить и их.*

Так что не переживайте, что вы работаете только с одним органом, а остальные оказались обделенными, — это не так. Организм сам выстроит цепочку и исцелит то, что обеспечит здоровье тому органу, с которым вы работаете. Так что вы можете работать с глазами, а одновременно будут исцеляться почки или защемление какого-то нерва, и т. д. Доверяйте своему организму, он гораздо умнее и сложнее наших взглядов о нем.

Будьте энергичны и целенаправленны. Чем больше живительной энергии вы пошлете в больной орган, тем быстрее он выздоровеет. Боль может пройти через несколько минут работы, но окончательное выздоровление так быстро не наступает. Даже если явных симптомов заболевания больше нет, нужно продолжить работу.

Оптимальный срок исцеления — это время, в течение которого полностью регенерируют ткани больного органа. При регенерации они будут строиться по матрице, которую вы задали в формуле самовнушения. То есть по той, по которой строился ваш организм десять-двадцать лет назад. Поскольку сроки полной регенерации тканей разных органов сильно отличаются, невозможно указать единый срок работы по методу. На наш взгляд, *минимальный срок работы с одним органом — не менее месяца,* хотя может потребоваться и значительно большее время.

И это при ежедневной работе по методу в течение *одного-двух часов в любое свободное время.* Все очень индивидуально, и единые нормы назвать сегодня не представляется возможным.

Многое зависит от того, *сколько энергии* (положительных эмоций) *вы будете вкладывать в работу с символом.* Если вы будете полностью сосредоточиваться на нем и посылать ему порции сильных положительных эмоций, то эффект будет быстрым. Если же вы будете крутить символ в руках, а сами в это время будете раздумывать о каких-то делах, то эффект тоже будет, но через значительно больший срок. Чем больше энергии направите в больной орган, тем лучше будет эффект.

Техника безопасности при работе с символами. Если вы начнете работать с символом, то скоро он станет вашей частью, он будет близок и дорог вам — ведь он символизирует частицу вашего тела. И если вдруг с символом что-то случится — вы случайно потеряете, забудете или сломаете его, то можно получить немалую психологическую травму.

Чтобы этого не произошло, примените следующую установку: *если символ как-то ушел от вас, это означает, что он выполнил свою функцию и вы больше не нуждаетесь в нем.* Возможно, вам нужно начать работу с другим органом или подобрать себе следующий символ этого же органа. Не спешите, обдумайте эту ситуацию, ничего случайного в нашей жизни не происходит, как вы уже знаете. Происшедшая ситуация дает вам какой-то урок, и вам нужно усвоить его и не более, никаких оснований для дополнительных переживаний нет.

Еще одна техника безопасности. Вторая сложность, которая может возникнуть при работе по методу, — это *появление идеализации цели.* Если помните, любая идеализация характеризуется длительными негативными переживаниями.

Какие же переживания могут появиться при работе по методу? Это сомнения, страх того, что ничего не выйдет, досада на себя и на метод за то, что результат получается не так быстро, как вам хочется, и так далее. Любое из этих переживаний может привести к кармическому «воспитательному» процессу в виде блокировки желанной цели. И чем больше вы будете досадовать на задержку и пытаться дополнительными усилиями переломить ситуацию, тем хуже все будет получаться. Так бывает с любой целью, в том числе и с выздоровлением.

Как же избежать идеализации цели? Вариантов здесь несколько, но все они должны приводить к одному результату: *вы остаетесь спокойным и уверенным в успехе в любой момент работы по методу.* Чтобы ваше состояние было именно таким, *можно заранее отнести подальше срок ожидаемого выздоровления.* В формуле вы утверждаете, что уже здоровы. Но для себя намечаете, что вы готовы, если понадобится, работать по методу несколько месяцев, а то и лет. *Вам доставляет удовольствие сам процесс выздоровления.* Это не будет «заказом» на откладывание исполнения вашей цели на долгий срок, поскольку в формуле самовнушения *вы все время говорите, что вы здоровы уже сегодня.* Но вы не тревожитесь, поскольку готовы работать по методу долго. А если вы получите результат значительно раньше, то будете благодарны Жизни за этот подарок. А вы ведь позволяете Жизни делать себе подарки? Или вы всего хотите добиваться только своим тяжелым трудом? Надеемся, вы без колебаний выберете первый вариант ответа.

Это — метод самоисцеления. Обращаем ваше внимание на то, что этот *метод предназначен исключительно для работы со своими органами.* Это метод самопрограммирования, то есть *метод самостоятельного запуска внутренней программы своего организма на выздоровление.*

**Если вы наберете разных символов и начнете посылать энергию больным органам других людей, это будет уже совсем другой процесс. Это уже будет целительство по отношению к другим людям. Там имеются свои требования, ограничения, техника безопасности, а иначе вы можете перетащить на себя заболевание другого человека, истощить свое эфирное тело и так далее.

Мы этим не занимаемся. Мы помогаем людям самоисцелиться. Сами создали себе болезнь — сами от нее и избавляйтесь. Любая болезнь — это урок, который дает нам жизнь, и нехорошо забирать этот урок у другого человека.

Вы *можете подарить символ другому человеку* и рассказать ему, как с ним нужно работать. Но работать должен он сам! К тем символам, которые выпускаются нашим Центром, прилагается инструкция по работе — этого вполне достаточно, чтобы этот символ стал использовать человек, даже не знакомый с идеями метода.

Работа на энергетическом уровне. Во избежание самых разных фантазий и искажений нужно сразу отметить, что метод исцеляющих символов работает *только на энергетическом уровне*, то есть с эфирным телом. Никакие другие тела в этом методе не используются.

Это не очередная панацея. Как видите, предлагаемый метод довольно прост и может дать очень хороший эффект в короткий срок. Он максимально адаптирован к ритму жизни современного человека. Для самоисцеления вы будете использовать любые свободные от других дел моменты времени.

Но нужно понимать, что он имеет вполне ограниченные возможности и *будет очень эффективен только в обойме средств, направленных на оздоровление всех тел человека.* То есть он будет хорош, если одновременно вы будете работать с физическим телом (гимнастика, питание), позаботитесь о своей энергетике, почистите эмоциональный план и разберетесь с вредными ментальными установками. Если же болезнь приносит вам явные выгоды или вы весь день испытываете сильные негативные эмоции по поводу мужа (ребенка, начальника, зарплаты и т. д.), то этот метод может дать лишь кратковременное облегчение. Как, впрочем, и любой другой в этой ситуации.

Вперед, к практике. При правильном подборе символа метод абсолютно безопасен, поэтому вы смело можете испробовать его на себе. Если будут получены хорошие результаты, напишите нам. На страницах нашего журнала «Разумный мир» мы будем рассказывать об опыте использования метода и вновь наработанных рекомендациях по его использованию. Попробуйте, и ваш путь к здоровью станет немного короче!

Заключение

Как ни огорчительно, но наша очередная встреча на страницах книги подошла к концу. Что делать — каждая встреча всегда заканчивается расставанием, это закономерность. Надеюсь, это не последняя наша встреча.

Задумывая эту книгу, я пытался дать *отстраненный взгляд на существующие системы и средства оздоровления*. Понятно, что в обзор невозможно было включить все, наработанное людьми, — этого слишком много. Зато, как мне представляется, *удалось продемонстрировать общий принцип оценки* любой системы или техники оздоровления.

Может быть, обзор некоторых методов был слишком коротким и не позволяет получить представление о них в полной мере. Но рассказывать подробно о разных методах не являлось моей задачей, для этого есть много других специальных книг и энциклопедий. Я лишь хотел классифицировать имеющиеся подходы к оздоровлению и показать, в чем они совпадают и расходятся и почему так происходит. Надеюсь, что мне это удалось. Теперь *вы имеете инструмент, который позволит вам самостоятельно оценить, на каком уровне работает предлагаемый метод*, прибор или снадобье. Будьте разумны и поменьше верьте той настойчивой рекламе, которая нынче сопровождает каждый продукт, даже если он совершенно бесполезен (а иногда и вреден) для нас.

Теперь у вас есть возможность составить свою собственную систему оздоровления, которая будет учитывать ваши интересы, материальные и прочие возможности, уровень доверия к ее авторам. Может быть, вас устроит что-то из готового, предлагаемого другими людьми или организациями. Если не устроит, то смело стройте свою систему, учитывая предложенные принципы оздоровления всех наших тел.

Повторим основные идеи. Подводя итоги всей книги, давайте попробуем повторить самые интересные выводы, полученные в ходе наших рассуждений. Самый важный из них говорит о том, что *наше тело и наше здоровье — это пластилин в руках того, кто его держит.* И из этого пластилина можно вылепить все что угодно, в том числе болезнь или здоровье. Причем речь идет не только о психосоматических (неврологических), но и вполне реальных (соматических) заболеваниях, подтвержденных результатами разных исследований.

Кто же тот скульптор, который работает с этим куском пластилина? Это *мы сами, наше сознание и подсознание.* Мы можем сказать себе, что для здоровья нам нужно есть или голодать, пить или не пить, заворачиваться в мокрую простыню на два часа или обливаться водой на три секунды — организму совершенно все равно. Он вытерпит любую нашу идею и сделает все, как мы пожелаем. Он — тот самый пластилин, из которого *мы сами лепим свою жизнь, не осознавая этого.* Творец дал нам эту возможность с самого начала, но мы так и не научились пользоваться ею.

Конечно, правильнее всего было бы дать себе команду: «Я абсолютно здоров, молод и вечен, начиная с этой минуты!» И все, организм с удовольствием выполнил бы этот приказ — *если бы мы сумели поверить себе,* что такое возможно. Но мы не поверим, потому что еще не доросли до такого уровня управления своим сознанием. Мы будем сомневаться, и тем самым заблокируем все пути к запуску этой программы. Использовать этот механизм могут только единицы — те, кто всю жизнь посвятил своему совершенствованию. Для подавляющего большинства людей такие возможности не более, чем сказка, поскольку вся современная цивилизация, наука и техника настойчиво утверждают нас в мысли, что *мы мало что можем и все должны делать за нас приборы, лекарства, специалисты*. Поэтому нам приходится применять массу самых замороченных способов, чтобы убедить самих себя, что нам это поможет. Если убедили — помогает, не убедили — нет.

Может быть, тогда стоило бы сосредоточиться на разработке этого самого суперэффективного метода самопрограммирования, который позволял бы любому человеку стать здоровым? К сожалению, это невозможно, поскольку если даже удастся придумать самый эффективный метод для одного человека, то он не будет годиться для другого. Потому что *нет усредненного человека*, а есть огромная масса живых существ, имеющих облик и физиологию человека, но различных во всем остальном. Например, если взять коренного обитателя африканских джунглей, брокера с Нью-Йоркской биржи и тибетского монаха, то что можно найти у них общего? Физиологически они близки, у них одинаковое строение тела. Но во всем остальном они никогда не скажут, что «я такой же, как он». Они — разные, и скорее всего невозможно создать единую методику, которой воспользовался бы каждый из них. Потому что одному ближе будет попрыгать под грохот тамтама и попеть песни, второму — сходить на прием к врачу или в спортзал, а третьему — посидеть в медитации. Люди — они очень разные, они прошли разный путь на линии духовной эволюции. Выражаясь принятыми в нашей книге терминами, они прожили разное количество жизней и имеют разный духовный и интеллектуальный опыт. Поэтому каждому из них нужен свой собственный метод самопрограммирования. Если не очень хочется задумываться над этим самому, то можно использовать то, что уже наработали другие.

Мы тоже предложили свою методику оздоровления. Понятно, что она будет отличаться от других методик — цигуна, йоги и прочих. Мы уделяем большее внимание работе с головой и имеющимися в ней заморочками, и это находит отражение в нашей методике. *Она для тех, кто задумывается о своей жизни*, не ищет забытья от жизни в разного рода медитациях и ретритах, не впадает в слепую веру в очередного пророка или целителя, а *пытается сам понять, что и почему происходит в этой жизни*. Таких людей не очень много, но они есть, и им наш подход будет ближе всего.

Простите «расчлененку». В своих рассуждениях я искусственно разделил организм человека на несколько тел и рассматривал каждое из них в отдельности. Конечно, это была вынужденная мера, иначе не удалось бы найти общее основание для оценки самых разных средств оздоровления. Я прекрасно понимаю, что организм человека — это очень сложная многоуровневая система, секреты которой мы будем изучать еще много-много лет. Но как-то нужно было систематизировать имеющиеся подходы к оздоровлению, поэтому пришлось искусственно расчленить единый и живой организм. Хорошо хоть, что это пришлось делать только на бумаге.

Мы — не целители. Сразу обращаю внимание читателей на то, что мы не занимаемся целительством или лечением. Нам и сегодня часто звонят люди с просьбой помочь исцелиться их близким, страдающим тяжелыми заболеваниями (обычно рак в последней стадии, СПИД и т. д.). После этой книги число таких звонков может резко увеличиться.

Чтобы вы не тратили напрасно свое время и деньги на звонки, я сразу обращаю ваше внимание на то, что не нужно нам звонить в тяжелых случаях. Мы ничем не сможем вам помочь.

Да, мы ведем оздоровительные группы, но это для тех людей, кто может прийти на занятия сам и заняться своим самооздоровлением. Тяжелобольным мы ничем помочь не можем. Вся информация изложена в этой и других книгах, пусть работают над собой. Мы никого не лечим. Мы помогаем запустить внутреннюю программу на оздоровление тем людям, кто может свободно передвигаться, выполнять физкультурные упражнения и т. д. Мы — оздоравливаем. А тяжелобольных лечат врачи или целители, обращайтесь, пожалуйста, к ним. Мы в этих сложных ситуациях помочь ничем не сможем.

И еще по поводу информации. В одной из своих первых книг я по неопытности указал фамилию одной целительницы. После этого мы получили около тысячи звонков с просьбой дать ее координаты. Фактически совершенно не желая того, я стал ее рекламным агентом.

В этой книге указано много новых средств и способов излечения. Теперь вы сами сможете ориентироваться в выборе средств или способов решения своих проблем со здоровьем. Чтобы найти координаты тех или иных специалистов или оздоровительных центров, вовсе не обязательно звонить нам. На сегодняшний день существует множество способов найти нужные адреса и телефоны без нашего содействия. Найти ответы на интересующие вас вопросы можно в соответствующих книгах, где представилось возможным, я дал ссылку на литературу. Если же вы не сможете сделать этого сами, то мы будем рады помочь вам найти нужного специалиста. Условия предоставления необходимой вам информации приведены на рекламных страницах в конце этой книги.

На этом я заканчиваю свои размышления на тему здоровья. До встречи на страницах новых книг и журнала «Разумный мир»! Не забудьте реализовать свое желание подписаться на него, тогда вы будете первыми в курсе многих новостей. Если вы имеете выход в Интернет, то можете подписаться на еженедельную рассылку, в которой я отвечаю на вопросы читателей. Подписаться на рассылку можно на сайте www.sviyash.ru под кнопкой «Рассылка». И тогда наше общение будет постоянным. Успехов вам на пути к полному доровью!

С уважением. Александр Свияш.

10.02.02.

Литература

1. *Свияш А.* Жизнь без конфликтов. — СПб.: Питер, 2000.

2. *Свияш А.* Исправляем ошибки. — СПб.: Питер, 2000.

3. *Свияш А.* Решаем проблемы. — СПб.: Питер, 2000.

4. *Свияш А.* Разумный мир. Как жить без лишних переживаний. — СПб.: Питер, 2001.

5. *Свияш А.* Как формировать события своей жизни с помощью силы мысли. — М.: Центрполиграф, 2001.

6. *Свияш А.* Как быть, когда все не так, как хочется. — М.: Центрполиграф, 2001.

7. *Свияш А.* Как очистить свой «сосуд кармы». — М.: Центрполиграф, 2001.

8. *Свияш А.* Как получать информацию из Тонкого мира. — М.: Центрполиграф, 2001.

9. *Свияш А.* Что вам мешает быть богатым. — М.: Центрполиграф, 2001.

10. *Свияш А.* Уроки судьбы в вопросах и ответах. — М.: Центрполиграф, 2002.

11. *Скальный А. В.* Микроэлементозы человека (диагностика и лечение). — М.: Биосфера, 2001.

12. *Уокер Норман У.* Сырые овощные соки. — Краснодар: Соло, 1990.

13. Энциклопедия. Системы оздоровления Востока и Запада / Под общ. редакцией А. Левшинова. — СПб.: Прайм-Еврознак, 2001.

14. Энциклопедия. Системы оздоровления Земли Русской. — СПб.: Прайм-Еврознак, 2001.

15. *Чиа Мантек.* Нейгун — искусство омоложения организма. — Киев: София, 1998.

16. *Кэлдер П.* Око возрождения. — Киев: София, 1999.

17. *Верещагин Д.* Освобождение. Система дальнейшего энергоинформационного развития, 1 ступень. — СПб.: Невский проспект, 1999.

18. *Коновалов С. С.* Книга, которая лечит. Путь к здоровью: Энергоинформационное учение. — СПб.: Прайм-Еврознак, 2001.

19. *Новосельский Я.* Полный курс Фэн-Шуй. Классика и современность. — М.: АСТ, 2000.

20. *Богачихин М. М.* Фэн-Шуй. Пространство. Время. Человек. — СПб.: Нева, 2000.

21. *Малахов Г. П.* Жизнь без паразитов. — СПб.: Невский проспект, 2001.

22. *Хей Луиза.* Как исцелить свою жизнь. Сила внутри нас. Исцели свое тело / Пер. с англ. — Рига: Литик, 1996.

23. *Жикаренцев В.* Путь к свободе: Кармические причины возникновения проблем, или Как изменить свою жизнь. — СПб.: ООО «Диамант», 2000.

24. *Синельников В.* Полюби свою болезнь. — Киев: София, 2002.

25. *Лууле Виилма.* Прощаю себе. — Эстония, Хаапсалу, 1997.

26. *Норбеков М., Хван Ю.* Уроки Норбекова: дорога в молодость и здоровье. — СПб.: Питер, 1999.

27. *Норбеков М., Хван Ю.* Тренировка тела и духа. — СПб.: Питер, 2002.

28. *Норбеков М., Хван. Ю.* Энергетическое здоровье. — СПб.: Питер, 2002.

29. *Брегг П.* Чудо голодания. — М.: Молодая гвардия, 1990.

30. *Ярцев В. В.* Анатомия и физиология эфирного тела человека. — Омск: Омский дом печати, 2000.

31. *Гербер Ричард*. Вибрационная медицина. — М.: София, Гелиос, 2001.

32. *Золотарев Ю. Г.* Наследие Порфирия Иванова. О самом главном, сделанном в его жизни. — СПб.: Диля, 2001.

33. *Орлин В. С.* Учение Порфирия Иванова «Детка». — М.: ВО «Союзспорткнига», 1991.

34. *Веннелз Д. Ф.* Рейки для начинающих: Обучение способам естественного исцеления. — М.: ФАИР, 2001.

35. *Раджниш.* Оранжевая книга. — М.: Кокон, 1990.

36. *Ванов Ю. М.* Йога и здоровье. Практическое руководство. — М.: ММПШ, 1991.

37. *Скаков С.* Метод К. П. Бутейко. — Институт вековой медицины, 1992.

38. *Фролов В. Ф.* Эндогенное дыхание — медицина третьего тысячелетия. — М.: Динамика, 1999.

39. *Новиков А. Ю.* Бесы. Сущности и энергии болезней. — М.: Новый Центр, 1998.

40. *Максимов С. В.* Нечистая, неведомая и крестная сила. — М.: Книга, 1986.

41. *Круянова Л. К., Фалеева Е. В.* Избранные вопросы немедикаментозной терапии. Подход Востока и Запада к лечебному процессу. — Казань: Матбугай оторты, 2000.

42. *Стикс В.* В царстве запахов. Эфирные масла и их действие. — М.: Навеус, 2000.

43. *Бессонов А. Е., Калмыкова Е. А., Конягин Б. А.* Информационная медицина. — М.: Парус, 1999.

44. Аппликатор матричный резонансной коррекции информационно-обменных нагрузок «AIRES». — СПб.: Фонд «AIRES», 2000.

45. *Амстронг Дж.* Живая вода. — М.: Кокон, 1990.

46. *Вульф В.* Холодинамика. Как развивать и управлять своей внутренней личностной силой. — М.: ЛАС, 1995.

47. *Синельников В.* Возлюби болезнь свою. — Киев.: София, 2001.

48. *Сытин Г. Н.* Животворящая сила. Помоги себе сам. — М.: Энергоатомиздат, 1990.

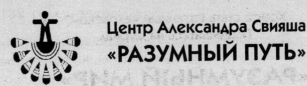

Центр Александра Свияша
«РАЗУМНЫЙ ПУТЬ»

ПОРА НАЧАТЬ ЖИТЬ РАЗУМНО!

Наши тренинги прошли более 8 тысяч человек. Они получили не единовременную помощь, а инструмент для управления всей своей жизнью!

Причинная диагностика событий жизни. Этот тренинг – глубокое самопогружение для тех, кто хочет понять, какие внутренние, скрытые для нас факторы творят нашу судьбу и делают жизнь такой, какая она есть.

Формирование событий и **Деньги в вашей жизни.** Это базовые тренинги для тех, кто хочет получить ключ к управлению собственной жизнью и научиться создавать свой успех и материальное благополучие.

Школа Разумного пути – это овладение искусством не создавать себе в жизни проблем. Это глубокое погружение в методику, комбинация новых эффективных техник, индивидуальная работа с каждым.

В ходе тренингов вас ждут:

- эффективные **техники работы**;
- интересные **беседы и упражнения** (коллективные, в малых группах, парные, индивидуальные);
- **медитации** (в том числе медитация прощения и реинкарнационная медитация);
- **диагностика и анализ** жизненных ситуаций участников тренинга;
- **чистка** накопленных негативных переживаний; упражнения по получению информации из подсознания и многое другое.

Мы проводим тренинги развития навыков успешного общения, личностного роста, оздоровления и др.

ПОЗВОНИТЕ И УЗНАЙТЕ О НАШИХ ТРЕНИНГАХ!

Консультации. Специалисты Центра, подготовленные Александром Свияшем, проводят индивидуальные консультации — «причинную диагностику» ваших жизненных ситуаций. Вы можете обращаться по проблемам в бизнесе, семейной, личной жизни, отношениях.

НАШИ КОНСУЛЬТАЦИИ ПОМОГАЮТ С ПЕРВОГО РАЗА В 9 СЛУЧАЯХ ИЗ 10!

Жителям городов России и зарубежья: по приглашению **мы проводим тренинги** в городах России и за рубежом. Тематика и условия проведения семинара высылаются по запросу и приведены на сайте www.sviyash.ru **А.Свияш выезжает в другие города для проведения массовых лекций.** Сроки и условия согласуются отдельно.

Запись на тренинги и консультации по телефонам Центра: (095) 350-30-90, (095) 148-71-98.

Наш адрес: 109387, Москва, ул. Ставропольская, д. 14.

ВЫ ИМЕЕТЕ ВОЗМОЖНОСТЬ ПРИОБРЕСТИ УНИКАЛЬНЫЕ ТОВАРЫ!

Уважаемые читатели! Вы имеете возможность приобрести **исцеляющие символы, аудио- и видеокассеты, компакт-диски** с авторскими лекциями и медитациями.

Рассылка производится службой почтовой рассылки ООО «Новопост».

Код	Товар	Название	Цена
ЦО101	Аудиокассета	Лекция А. Свияша «Как жить без лишних переживаний»	85 руб.
ЦО102	Аудиокассета	Лекция А. Свияша «Что вам мешает быть богатым»	85 руб.
ЦО103	Аудиокассета	Медитации «Прощение» (А), «Релаксация» (В)	85 руб.
ЦО104	Аудиокассета	Медитации «Белый город» (А), «Берег моря» (В)	85 руб.
ЦО105	Аудиокассета	Медитации для женщин «Прощаю себя» (А), «Прошу прощения у своего тела» (В)	85 руб.
ЦО106	Аудиокассета	Медитации для мужчин «Прощаю себя» (А), «Прошу прощения у своего тела» (В)	85 руб.
ЦО201	Видеокассета	«Как жить без лишних переживаний»	170 руб.
ЦО202	Видеокассета	«Будьте здоровы!»	170 руб.
ЦО301	Компакт-диск	Медитации «Прощение», «Релаксация»	250 руб.
ЦО302	Компакт-диск	Медитации «Белый город», «Берег моря»	250 руб.
ЦО303	Компакт-диск	Медитации для женщин «Прощаю себя» (А), «Прошу прощения у своего тела» (В)	250 руб.
ЦО304	Компакт-диск	Медитации для мужчин «Прощаю себя» (А), «Прошу прощения у своего тела» (В)	250 руб.
ЦО401	Исцеляющий символ (ИС)	Сердце, сердечно-сосудистая система	280 руб.
ЦО402	ИС	Легкие	280 руб.
ЦО403	ИС	Глаза	280 руб.
ЦО404	ИС	Почки	280 руб.
ЦО405	ИС	Печень	280 руб.
ЦО406	ИС	Железа любая (молочная, щитовидная и др.)	280 руб.
ЦО407	ИС	Мужской половой орган	280 руб.
ЦО408	ИС	Женский половой орган, матка, яичники	280 руб.
ЦО409	ИС	Позвоночник, спина	280 руб.
ЦО410	ИС	Пищеварительная система (кишечник, желудок и др.)	280 руб.
ЦО411	ИС	Тело, мышцы, ноги, руки	280 руб.
ЦО412	ИС	Грудь женская	280 руб.

ЦЕНЫ действительны только для России до конца 2002 года.

Для получения товаров, которые приведены выше в каталоге, вам необходимо:

1. Перечислить через любое отделение Сбербанка РФ сумму, соответствующую общей стоимости заказываемых вами изделий по следующим реквизитам: Получатель: ООО «Новопост», ИНН 7701196731
Р/счет №40702810138070102373 в Стромынском ОСБ №5281 г. Москва, кор/счет №30101810400000000225, БИК 044525225
При оплате через Сбербанк взимается до 3% от указанной в квитанции суммы, поэтому вам придется заплатить чуть больше, чем указано в каталоге.

2. В квитанции об оплате необходимо указать коды заказанных товаров (без названий) и количество товаров каждого наименования.

3. Квитанцию (или ее отчетливую копию) необходимо выслать по следующему адресу: 105023, г. Москва, а/я 23, ООО «Новопост», либо e-mail: post@novopost.com

4. Чтобы избежать ошибки в адресе и комплектации бандеролей, большая просьба: **точно и разборчиво печатными буквами и цифрами указывайте коды заказов, их количество, ваш почтовый адрес** (обязательно с почтовым индексом) **и Ф.И.О.**
По всем вопросам просим обращаться по адресу: 105023, г. Москва а/я 23, ООО «Новопост», тел. (095) 369-74-42, e-mail: post@novopost.com

КАК ПОЛУЧИТЬ ИНФОРМАЦИЮ
О СПОСОБАХ ИЗЛЕЧЕНИЯ, ОПИСАННЫХ В КНИГЕ

Если вы не имеете возможности самостоятельно найти координаты оздоровительных центров или специалистов, использующих способы или средства излечения, описанные в этой книге, то вы можете получить соответствующую справку у нас.

Для этого необходимо оплатить информацию в размере 50 рублей за один адрес или телефон.

Информация предоставляется после оплаты на расчетный счет нашей организации.

Координаты можно будет получить в офисе нашей организации, по почте (письмом), по Интернету или по телефонам
(095) 350-30-90, 148-71-98,
но только после оплаты информации.

Если будете обращаться по почте, то вложите в конверт квитанцию об оплате и чистую почтовую карточку (или конверт) с надписанным вашим адресом. Наш адрес для запросов по почте:

109387, Москва, ул.Ставропольская, д. 9, РОО «Разумный путь».
Адрес в Интернете: www.sviyash.ru

Реквизиты для оплаты нужной вам информации через Сбербанк:

Получатель: РОО Центр гармонического развития
«РАЗУМНЫЙ ПУТЬ», ИНН 7705256780

Расчетный счет № 40703810738250100549
в Люблинском отделении №7977 СБ РФ,
кор/счет 30101810400000000225, БИК 044525225

Статья перевода: «Пожертвование»
или «Оплата за информацию».

МЫ БУДЕМ РАДЫ ПОМОЧЬ ВАМ!

КНИГА-ПОЧТОЙ

ЗАКАЗАТЬ КНИГИ ИЗДАТЕЛЬСКОГО ДОМА «ПИТЕР» МОЖНО ЛЮБЫМ УДОБНЫМ ДЛЯ ВАС СПОСОБОМ:

- по телефону: **(812) 387-01-04**;
- по электронному адресу: **postbook@piter.com**;
- на нашем сервере: **www.piter.com**;
- по почте: **197198, Санкт-Петербург, а/я 619 ЗАО «Питер Пост»**.

ВЫ МОЖЕТЕ ВЫБРАТЬ ОДИН ИЗ ДВУХ СПОСОБОВ ДОСТАВКИ И ОПЛАТЫ ИЗДАНИЙ:

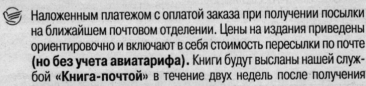

Наложенным платежом с оплатой заказа при получении посылки на ближайшем почтовом отделении. Цены на издания приведены ориентировочно и включают в себя стоимость пересылки по почте **(но без учета авиатарифа)**. Книги будут высланы нашей службой **«Книга-почтой»** в течение двух недель после получения заказа или выхода книги из печати.

Оплата наличными при курьерской доставке **(для жителей Москвы и Санкт-Петербурга)**. Курьер бесплатно доставит заказ по указанному адресу в удобное для вас время в течение трех дней. Такой заказ лучше оформлять по телефону.

ПРИ ОФОРМЛЕНИИ ЗАКАЗА УКАЖИТЕ:

- фамилию, имя, отчество, телефон, факс, e-mail;
- почтовый индекс, регион, район, населенный пункт, улицу, дом, корпус, квартиру;
- название книги, автора, код, количество заказываемых экземпляров.

Вы можете заказать бесплатный журнал «Клуб Профессионал».